MANUEL DE L'ÉLÈVE A

ÉTHIQUE ET CULTURE RELIGIEUSE

ÊTRE en société

1er cycle du secondaire

Denis Bélanger
Alain Carrière
Pierre Després
Catherine Mainville
André-Carl Vachon

Note aux lectrices et aux lecteurs
Il existe d'autres façons d'écrire certains termes propres à chaque tradition religieuse.

LES ÉDITIONS CEC
Une compagnie de Quebecor Media

9001, boul. Louis-H.-La Fontaine, Anjou (Québec) Canada H1J 2C5
Téléphone : 514-351-6010 • Télécopieur : 514-351-3534

Direction de l'édition
Alexandra Labrèche

Direction de la production
Danielle Latendresse

Direction de la coordination
Rodolphe Courcy

Charge de projet
Nicole Beaugrand Champagne

Collaboration à la charge de projet
Koliny Chhim
Francine Noël

Collaboration à la rédaction
Nicole Beaugrand Champagne
Philippe Sicard

Révision linguistique
Monique La Grenade

Correction d'épreuves
Denis Desjardins

Conception et réalisation graphique

Réalisation des cartes
Claude Bernard

Recherche iconographique
Nicole Beaugrand Champagne
Koliny Chhim
Nicole Defoy

Les Éditions CEC inc. remercient le gouvernement du Québec de l'aide financière accordée à l'édition de cet ouvrage par l'entremise du Programme de crédit d'impôt pour l'édition de livres, administré par la SODEC.

Être en société, manuel de l'élève A
© 2008, Les Éditions CEC inc.
9001, boul. Louis-H.-La Fontaine
Anjou (Québec) H1J 2C5

Dépôt légal : 2008
Bibliothèque et Archives nationales du Québec
Bibliothèque et Archives Canada

ISBN 978-2-7617-2579-8

Imprimé au Canada
2 3 4 5 12 11 10 09

Les auteurs et l'Éditeur tiennent à remercier les personnes suivantes qui ont participé au projet à titre de consultants.

Consultants scientifiques
Mireille Estivalèzes, docteure en Histoire et sociologie des religions, professeure en sciences religieuses à l'Université de Montréal

Michel Langevin, conseiller pédagogique, C. S. de l'Or-et-des-Bois

Annie Laporte, M. Éd., M.A., responsable de la formation professionnelle, Faculté de théologie et de sciences des religions, Université de Montréal

Benoît Mercier, professeur de philosophie, Collège Montmorency

Monelle Parent, philosophe-éthicienne, Université de Sherbrooke

Consultants pédagogiques
Carole Bergeron, Collège Regina Assumpta

Nancy Gauvin, École secondaire Saint-Paul (C. S. Côte-du-Sud)

Marie-Émilie Lacroix, École secondaire Guillaume-Couture (C. S. des Navigateurs)

René Thibault, École polyvalente de l'Érablière (C. S. des Draveurs)

Remerciements particuliers à M. Simon Duchesneau (Collège Durocher, Saint-Lambert) pour sa participation à la recherche conceptuelle de cet ouvrage et à Mme Albane Marret pour sa précieuse collaboration.

Les auteurs
Denis Bélanger est étudiant au baccalauréat en science politique à l'UQÀM.

Alain Carrière a obtenu un baccalauréat en enseignement des sciences religieuses à l'UQÀM en 1990. Alain Carrière enseigne à l'École d'éducation internationale (C. S. des Patriotes).

Pierre Després a obtenu, sous la direction de Georges Leroux, un doctorat en philosophie à l'UQÀM en 1994. Pierre Després enseigne depuis 1977 au Collège Montmorency. Il est l'auteur de nombreux ouvrages.

Catherine Mainville a obtenu un baccalauréat en communications, profil journalisme à l'UQÀM en 2003 et un certificat en communications de l'Université de Montréal en 2000.

André-Carl Vachon a obtenu un baccalauréat ès arts à l'Université de Montréal en 1996 (certificats en théologie, sciences religieuses et pédagogie). Il a obtenu un certificat en enseignement de l'histoire, en formation continue, à l'UQÀM en 2006. André-Carl Vachon enseigne au Collège Jean-Eudes de Montréal.

Abréviations utilisées

BAC : Bibliothèque et Archives Canada

BANQ : Bibliothèque et Archives nationales du Québec

SHPFQ : Société d'histoire du protestantisme français au Québec

Table des matières

VOLET
Culture religieuse 86

Présentation du manuel

Le manuel ***Être en société*** est constitué de trois **VOLETS** correspondant aux trois compétences disciplinaires du *Programme d'Éthique et culture religieuse*. Ces compétences sont :

1. **RÉFLÉCHIR SUR DES QUESTIONS ÉTHIQUES**
2. **MANIFESTER UNE COMPRÉHENSION DU PHÉNOMÈNE RELIGIEUX**
3. **PRATIQUER LE DIALOGUE**

Les compétences se rapportant au volet **ÉTHIQUE** et au volet **CULTURE RELIGIEUSE** sont présentées séparément afin d'assurer l'examen de **tous les thèmes prescrits** par le programme et ainsi favoriser leur exploitation dans des fiches d'activités contenues dans le Guide d'enseignement permettant aux élèves de construire leurs savoirs. À la fin du manuel, le volet **DIALOGUE** présente des descriptions inscrites dans des mises en contexte ainsi que des stratégies facilitant la mise en œuvre des **situations d'apprentissage et d'évaluation** proposées tout au long de l'année.

OUVERTURES DES VOLETS

Une **illustration** forte accompagnée d'une **question** permet d'amorcer une première réflexion et d'ouvrir le dialogue.

Un **PRÉLUDE** précède les volets **ÉTHIQUE** et **CULTURE RELIGIEUSE** et propose un retour sur les concepts abordés au primaire

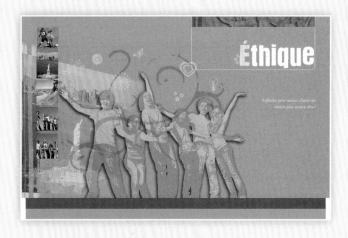

OUVERTURES DES CHAPITRES ET DES SECTIONS DU DIALOGUE

Un **TEXTE D'INTRODUCTION**, issu des expériences et des connaissances antérieures de l'élève et souvent présenté sous forme de question stimule sa réflexion sur certains concepts abordés dans le chapitre.

Un **SOMMAIRE** des concepts abordés donne une vue d'ensemble du chapitre.

Une rubrique **LIENS** souligne des liens privilégiés à établir avec des concepts des autres volets.

Le volet **DIALOGUE**, divisé en trois sections, comporte 19 outils portant sur les formes du dialogue, les moyens pour élaborer un point de vue et les moyens pour interroger un point de vue.

LES CHAPITRES

Les grandes divisions numérotées des chapitres commencent toujours avec une question qui attire l'attention de l'élève et l'oriente dans sa lecture.

Les expressions et les mots plus difficiles sont écrits en bleu dans le texte et définis dans la marge. Ces expressions et mots sont repris, dans l'ordre alphabétique, dans le le **GLOSSAIRE** à la fin du manuel.

Des **documents visuels** nombreux et variés et des légendes explicatives viennent appuyer le texte.

LES OUTILS

Présentés sous forme d'outils, tous les contenus prescriptifs de la pratique du dialogue sont abordés sur deux pages, ce qui facilite la compréhension de chacun d'eux et démontre concrètement leur application par une approche modélisante.

LA SYNTHÈSE

À la fin de chaque chapitre, la section **SYNTHÈSE** propose un résumé des points saillants du chapitre ainsi que des questions et des exercices favorisant la compréhension et la mise en pratique des concepts abordés.

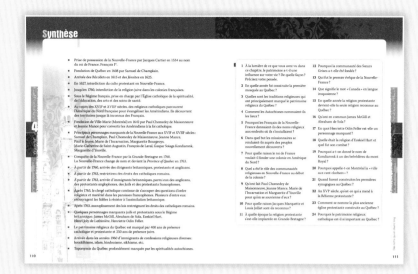

LES RUBRIQUES

POUR EN SAVOIR + est une rubrique qui permet d'approfondir un sujet ou de découvrir des aspects nouveaux des concepts liés à l'éthique et à la culture religieuse.

UN PEU D'HISTOIRE

traite des informations historiques liées aux concepts traités. On y aborde des sujets aussi variés que des gens qui ont contribué, par leurs actions et leur implication, à l'évolution des normes et des valeurs de la société ou des règles prévalant dans les classes d'une autre époque.

Abraham de Sola (1825-1882)

Né à Londres en Angleterre, Abraham de Sola est arrivé au Canada en 1847. Il est devenu rabbin de la première congrégation juive sépharade de Montréal, Shearith Israel, fondée en 1768. Il y organise l'éducation, la vie communautaire et le bénévolat. Il enseigne aussi l'hébreu, la littérature rabbinique, la littérature orientale, l'espagnol et la philologie à l'Université McGill. Comme auteur, éditeur et traducteur, il participe activement à la vie littéraire et scientifique de Montréal. Il s'intéresse particulièrement aux débats contemporains sur la religion et la science. Il a écrit des études sur l'histoire, la cosmographie et la médecine juives.

© Archives de l'Université McGill

Le dossier **CULTURE ET SOCIÉTÉ**, toujours placé à la fin des concepts traités, permet de contextualiser différentes notions en les appuyant par des exemples concrets, liés à la société ou à la culture. Plusieurs **repères culturels** y sont abordés, notamment des symboles d'engagement et de liberté, des éléments fondamentaux de différentes traditions religieuses ou des représentations séculières du monde.

Placée à la fin des chapitres, **ICI ET AILLEURS** est une rubrique qui propose une ouverture sur le monde. En lien avec les éléments traités dans le chapitre, cette section fait découvrir des façons différentes de vivre et de concevoir la société.

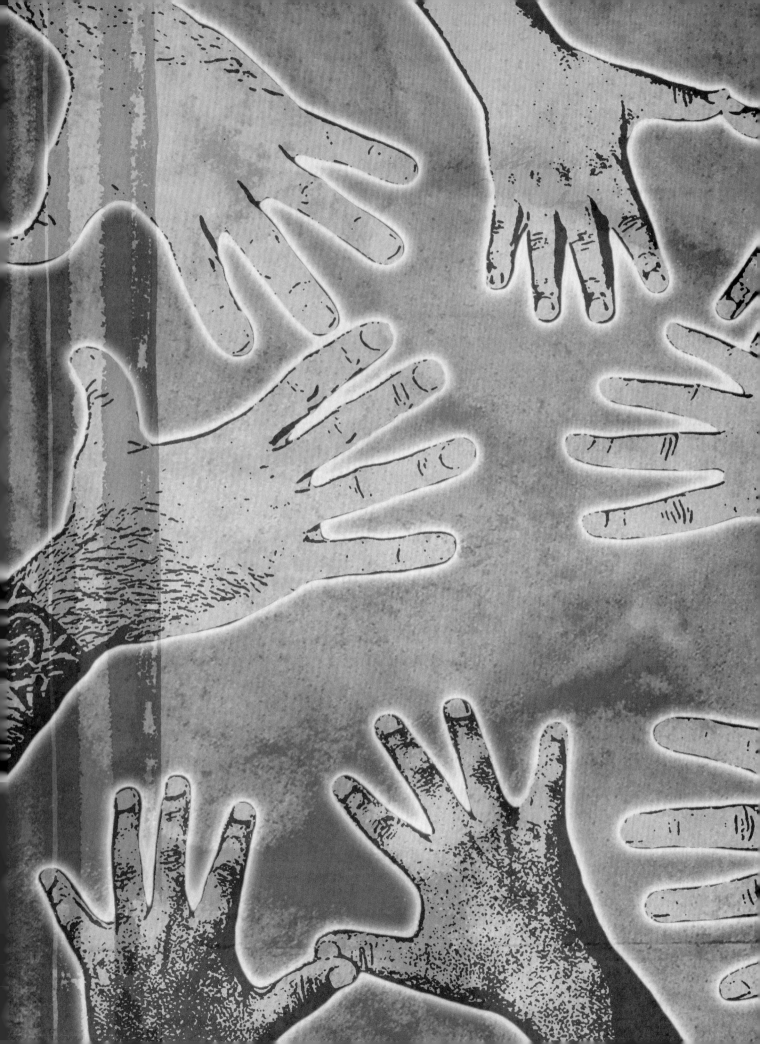

INTRODUCTION

1. Qu'est-ce que l'éthique ?
Qu'est-ce que la culture religieuse ?
Qu'est-ce que le dialogue ?

*Cette année, nous parlerons d'éthique, de culture religieuse
et de dialogue. Savez-vous de quoi il s'agit ?*

Doc. 1
Code vestimentaire
et liberté ?

L'ÉTHIQUE

L'éthique, c'est une réflexion critique sur la signification des comportements, des valeurs et des normes. C'est aussi s'interroger sur ce qu'il est préférable de faire, ou de ne pas faire, dans une situation donnée. Dans certains cas, il peut être difficile de faire des choix judicieux et c'est pourquoi il faut réfléchir, se poser des questions et analyser la situation.

Vous avez des valeurs personnelles qui vous guident dans vos choix, mais il est possible que des lois ou des règles soient en contradiction avec vos valeurs. Il est même possible que des valeurs soient en contradiction avec d'autres valeurs.

Imaginez que, selon vos valeurs personnelles, les élèves de votre école devraient pouvoir s'habiller comme ils le veulent. Cependant, la direction de l'école se prépare à adopter un règlement qui vous impose un code vestimentaire. Votre liberté pourrait alors être limitée par ce règlement que vous aurez l'obligation de suivre.

Doc. 2 Code vestimentaire et liberté ?

En songeant à une valeur très importante pour vous, la liberté par exemple, vous constatez qu'elle est très souvent limitée par certaines règles, aussi bien à l'école qu'à la maison. Pourquoi veut-on établir un code vestimentaire à l'école ? Au nom de quelles valeurs ? Ce code respecte-t-il la liberté de choix des élèves ?

Si on consultait les élèves de votre école sur ce code vestimentaire, il y a fort à parier qu'ils exprimeraient plusieurs points de vue différents. En écoutant les opinions des autres, vous décideriez peut-être de changer d'avis. Il pourrait également vous arriver de penser que les autres ont raison et que, vous aussi, vous avez raison. Ainsi, en réfléchissant et en posant des questions, vous serez mieux en mesure de prendre, ou même de ne pas prendre, de décision.

■ **Doc. 3** Code vestimentaire et liberté ?

LA CULTURE RELIGIEUSE

La culture religieuse, c'est la connaissance des éléments importants des religions. La religion, c'est l'ensemble des croyances et des pratiques qui, dans la culture, supposent une représentation du monde englobant toutes les réalités, visibles ou invisibles.

Les éléments importants des religions sont les croyances, les modes d'organisation, les pratiques, les représentations du divin ou de l'ultime, les rites, les fêtes, les règles de conduite, les lieux de culte, les productions artistiques. Autour de vous, à la télévision, dans votre école, vous entendez parler de gens qui ont des valeurs, des croyances et des habitudes de vie différentes des vôtres.

■ **Doc. 4** La croix des chrétiens orthodoxes.

■ **Doc. 5** La grande croix catholique sur le mont Royal.

■ **Doc. 6** L'étoile de David des juifs.

■ **Doc. 7** Le croissant de lune des musulmans.

■ **Doc. 8** Le son « OM » des hindous.

■ **Doc. 9** La roue du dharma des bouddhistes.

■ **Doc. 10** Le khanda des sikhs.

Doc. 11 Le dialogue, c'est l'interaction efficace avec les autres.

On peut apprendre beaucoup de cette grande diversité religieuse, à condition de manifester de la curiosité, de l'intérêt et de chercher à comprendre ce que signifient toutes ces expressions de la culture religieuse.

En en parlant avec les autres, vous en viendrez à les connaître et à mieux vous connaître vous-mêmes. Vous découvrirez aussi les valeurs qui sont associées aux différentes cultures religieuses. Pour cela bien sûr, il faut dialoguer !

LE DIALOGUE

Le dialogue, c'est l'interaction efficace avec les autres dans le but de bien les comprendre et de se faire comprendre. La pratique du dialogue doit se faire dans un esprit d'ouverture, de tolérance et de respect.

On organise dans votre classe une discussion sur le nouveau code vestimentaire de l'école. Au cours de la discussion, les élèves font allusion à plusieurs valeurs. Certains parlent de liberté, d'autres de respect d'autrui. Cet échange vous permet de faire connaître vos idées et peut-être de critiquer des points de vue différents du vôtre. Mais il arrive que des dialogues ne donnent pas d'aussi bons résultats. Par exemple, lorsque tout le monde parle en même temps sans s'écouter, le dialogue ne peut pas progresser.

Pour éviter cela, on peut apprendre à mieux dialoguer pour présenter son point de vue tout en respectant celui des autres.

Dialoguer sur des questions éthiques et sur la culture religieuse, c'est se donner les moyens pour apprendre à mieux se connaître et à connaître l'autre pour, au bout du compte, mieux vivre ensemble.

Doc. 12 Parler tous en même temps ne fait pas avancer le dialogue.

Doc. 13 Comprendre et se faire comprendre.

2. Une société qui change sans cesse

Vous vous demandez peut-être pourquoi vous allez étudier une matière qui porte le nom d'Éthique et culture religieuse ? Qu'allez-vous apprendre dans ce cours ? Pourquoi ?

POURQUOI UN COURS D'ÉTHIQUE ET CULTURE RELIGIEUSE ?

Il n'est pas toujours facile de vivre dans une société pluraliste, c'est-à-dire une société où les gens sont libres d'exprimer leurs opinions politiques, de pratiquer leur religion ouvertement, où ils sont libres de vivre selon leurs coutumes et leurs cultures. C'est encore plus difficile de vivre dans une telle société quand on connaît peu les gens qui nous entourent et que, parfois, on a quelques idées préconçues à leur sujet. L'inconnu fait toujours un peu peur.

Pour bien vivre dans une société pluraliste et démocratique, il est important de développer des attitudes d'ouverture, de tolérance et de respect des autres. Le programme d'Éthique et culture religieuse vous offre les outils nécessaires à une meilleure compréhension de la société et de son héritage culturel et religieux. Ces outils vous aideront à prendre des décisions plus réfléchies, qui tiennent compte de la diversité des points de vue.

QU'EST-CE QUE CE COURS ?

Le programme d'Éthique et culture religieuse vise l'acquisition de trois compétences : réfléchir sur des questions éthiques, manifester une compréhension du phénomène religieux et pratiquer le dialogue. Ces compétences sont conçues pour être développées de façon complémentaire les unes avec les autres. Ainsi, en pratiquant le dialogue, vous approfondirez vos réflexions sur des questions éthiques et vous ferez progresser votre compréhension du phéno-mène religieux.

Doc. 14 Dans une société pluraliste et démocratique, il est important de développer des attitudes d'ouverture, de tolérance et de respect des autres.

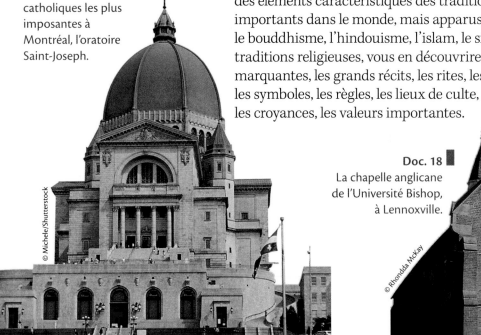

Doc. 15 Des écolières des années 1950.

BAC PA80937

Doc. 16 Des élèves des années 2000.

© Lorraine Swanson/Shutterstock

RÉFLÉCHIR AVANT TOUT

Pourriez-vous dire ce que sont les valeurs, les normes, les règles et quelles sont leurs origines ? Durant ce cours, vous examinerez les diverses valeurs propres aux sociétés d'ici et d'ailleurs et vous apprendrez à les mettre en perspective. Vous découvrirez les avantages et les inconvénients des lois, des règles et des codes de conduite à observer pour vivre en société. Vous apprendrez à connaître les exigences liées aux droits et aux devoirs dans une société démocratique. Vous constaterez que, selon les lieux, les époques ou les circonstances, les normes et les valeurs ne sont pas les mêmes pour tous. En les analysant, petit à petit vous serez capable d'exercer un jugement personnel et de dire en quoi les façons de voir influencent ce que font les gens.

Vous en viendrez à reconnaître les enjeux éthiques de diverses situations, vous arriverez à imaginer des options possibles et leurs conséquences pour être en mesure de faire des choix éclairés. Enfin, vous prendrez conscience de l'effet de vos actions sur les autres.

SE FAMILIARISER AVEC LE PHÉNOMÈNE RELIGIEUX

Savez-vous que l'Église catholique est présente au Québec depuis plus de 400 ans ? Que les protestants y sont aussi depuis les débuts de la colonie et que les juifs y sont depuis 250 ans ? Il n'est donc pas étonnant que l'héritage religieux laissé par tous ces bâtisseurs soit considérable.

Les expressions du religieux

Les expressions du religieux sont les éléments faisant partie d'une religion. Dans ce cours, vous découvrirez des aspects importants des traditions chrétiennes, catholique et protestantes, des traditions juives et des spiritualités amérindiennes. Vous explorerez également des éléments caractéristiques des traditions et mouvements religieux importants dans le monde, mais apparus plus récemment au Québec : le bouddhisme, l'hindouisme, l'islam, le sikhisme. Pour toutes ces traditions religieuses, vous en découvrirez les origines, les figures marquantes, les grands récits, les rites, les fêtes, les symboles, les règles, les lieux de culte, les croyances, les valeurs importantes.

Doc. 17 Une des églises catholiques les plus imposantes à Montréal, l'oratoire Saint-Joseph.

© Michele/Shutterstock

Doc. 18
La chapelle anglicane de l'Université Bishop, à Lennoxville.

© Rhondda McKay

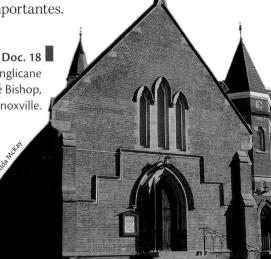

Vous serez en mesure d'analyser les diverses représentations du monde et de l'être humain dans les grandes religions. Vous comprendrez comment et pourquoi ces représentations exercent une influence sur la vie des gens. Enfin, vous verrez que toutes ces valeurs et conceptions de la vie, souvent très différentes d'une croyance religieuse à une autre, sont dignes de respect et donnent un sens à l'existence de ceux qui y adhèrent.

■ **Doc. 19** *La création d'Adam*, tableau peint par Michel-Ange au XVIᵉ siècle, sur la voûte de la chapelle Sixtine, au Vatican.

Se tourner vers ses origines peut aider à mieux comprendre le présent. La société québécoise où se croisent toutes ces valeurs et ces croyances a de grands défis à relever. Dans votre recherche d'une vie meilleure et plus juste pour vous et la société, vous devrez un jour prendre les décisions les plus appropriées. La réflexion éthique qui vous est proposée dans ce livre vous sera alors d'une grande utilité dans cette démarche.

PRATIQUER LE DIALOGUE

En dialoguant avec les autres, vous apprendrez à mieux les connaître et à mieux vivre avec des personnes qui n'ont pas nécessairement les mêmes valeurs ou la même culture que vous, mais qui sont, comme vous, intéressées à s'épanouir dans une société ouverte et tolérante. Le contact avec des gens d'opinions, de valeurs, de cultures et de religions diverses est une source d'enrichissement pour tous.

Dans ce livre, nous vous proposons des outils pour développer, par le dialogue, des aptitudes pour agir et penser de façon responsable par rapport à vous-même et à autrui. La pratique du dialogue n'est pas toujours simple, alors nous avons prévu dans ce livre une boîte à outils qui pourra vous faciliter la tâche. Vous y apprendrez aussi bien à mieux formuler vos propres idées qu'à écouter celles des autres dans un contexte de respect et d'ouverture d'esprit qui favorise le vivre-ensemble.

3. Les religions dans le monde

Christianisme

Judaïsme

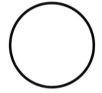

Spiritualités autochtones

Bouddhisme

Islam

Hindouisme

Sikhisme

La société québécoise d'aujourd'hui est de plus en plus diversifiée sur le plan culturel et religieux. Mais ce qui se passe ici est loin d'être un cas unique. La mosaïque religieuse du monde est un peu à l'image de notre société : on y côtoie des personnes animées de valeurs et de convictions religieuses très différentes.

Si nous embrassons notre planète d'un seul regard, nous allons constater qu'il existe de grands foyers de croyances religieuses. En Asie, partie la plus populeuse de la terre, les religions les plus importantes sont l'hindouisme, le bouddhisme et l'islam. Il y a dans le monde près de un milliard d'hindous dont 750 millions vivent en Inde. Environ 350 millions de bouddhistes sont répartis sur le continent asiatique. Sur les quelque 1,4 milliard de musulmans dans le monde, plus de 600 millions vivent en Indonésie, au Pakistan, en Inde et au Bangladesh. Depuis les années 1960, beaucoup d'hindous et de bouddhistes se sont installés en Europe et en Amérique, entre autres.

Déplaçons-nous vers l'ouest, dans la région du Moyen-Orient et du nord de l'Afrique. Le Moyen-Orient est le berceau de trois grandes religions : le judaïsme, né il y a plus de 4000 ans, le christianisme, né il y a plus de 2000 ans et l'islam, né au VIIe siècle de notre ère. Plus du tiers des quelque 15 millions de juifs du monde vivent en Israël. Les chrétiens, pour leur part, voient leur nombre diminuer sans cesse dans cette région du monde. Il y a des musulmans dans tout le Moyen-Orient et dans plus de la moitié de l'Afrique, mais la foi musulmane est également présente un peu partout sur les cinq continents. Chaque année des millions de musulmans se rendent en pèlerinage à La Mecque, leur ville sainte. Aujourd'hui, le Québec accueille de plus en plus de musulmans. Ils constituent, surtout à Montréal, une communauté importante.

Transportons-nous plus au nord, en Europe, où les chrétiens, catholiques, protestants et orthodoxes, ainsi que les juifs sont installés depuis plusieurs siècles. De l'Europe, avec l'apparition des grands empires coloniaux, les religions chrétiennes se sont répandues en Afrique et, bien sûr, en Amérique.

C'est ainsi que la société québécoise s'est développée sous l'influence de bâtisseurs qui ont apporté avec eux leurs convictions religieuses.

Parmi les confessions chrétiennes, la religion catholique, pratiquée
par la plupart des pionniers européens venus au Québec, compte
aujourd'hui presque un milliard de membres dans le monde.
C'est à Rome en Italie que se trouve le Vatican où réside le pape,
chef de l'Église catholique. Mais savez-vous que près de
la moitié des catholiques vivent dans les Amériques ?

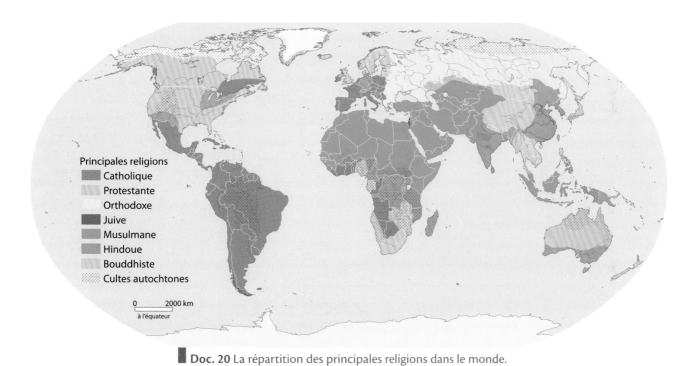

Principales religions
- Catholique
- Protestante
- Orthodoxe
- Juive
- Musulmane
- Hindoue
- Bouddhiste
- Cultes autochtones

0   2000 km
à l'équateur

■ **Doc. 20** La répartition des principales religions dans le monde.

Nous n'avons pas tout à fait complété notre tour de la terre.
Regardez la carte ci-dessus et portez votre attention sur des
continents comme l'Australie, l'Afrique, l'Amérique, mais aussi
l'Arctique. Depuis des temps très anciens, des peuples autochtones
y partagent des croyances religieuses communes. Au Québec
par exemple, bien avant l'arrivée des Européens, il y avait des
Amérindiens qui pratiquaient leurs cultes. Ils sont aujourd'hui
moins nombreux, mais leurs traditions religieuses sont toujours
très vivantes.

4. Le Québec du XXe siècle

Reculons un instant dans le passé du Québec, au début du XXe siècle. C'était bien avant votre naissance, à une époque où même vos grands-parents n'étaient pas encore nés. Que trouvons-nous ? Une population québécoise qui vit majoritairement à la campagne mais qui gagne de plus en plus les villes. Donc, c'est un monde encore rural qui gravite autour de son église. L'Église, le plus souvent catholique, encadre la vie des gens et veille à l'éducation des enfants dans les écoles. À la ville aussi, l'Église règle la vie des quartiers. Dans les milieux plus anglophones du Québec, on trouve des communautés semblables, mais de confessions protestantes et de religion juive.

Doc. 21 La place des Nations où se sont déroulées les cérémonies importantes de l'Exposition universelle de 1967, qui a accueilli plus de 50 millions de visiteurs. L'emblème d'Expo 67 exprime l'amitié entre les peuples dans une ronde symbolisant le monde.

UN QUÉBEC EN MOUVEMENT

Durant les années 1960, au moment où les Beatles composaient leurs premières chansons, le Québec entreprenait de se moderniser. On a qualifié de Révolution tranquille cette période où les Québécois et les Québécoises ont quitté un mode de vie plus traditionnel, encadré par des Églises chrétiennes, pour un monde plus laïc. Les écoles et les hôpitaux, jadis sous la responsabilité des Églises, sont alors pris en charge par le gouvernement québécois.

Un événement symbolise bien cette époque de changement : l'Exposition universelle qui s'est tenue à Montréal en 1967. Vos parents et vos grands-parents l'ont peut-être visitée. Pour la première fois de son histoire, le Québec recevait des millions de gens en provenance de tous les continents et s'ouvrait sur le monde entier.

Cette ouverture à d'autres modes de vie allait ensuite se poursuivre avec l'arrivée régulière d'immigrants venus d'un peu partout dans le monde. En effet, ces nouveaux arrivants ont apporté avec eux la riche diversité de leurs cultures et de leurs croyances.

LE NOUVEAU VISAGE DU QUÉBEC

Entre le début et la fin du XXe siècle, il y a eu plusieurs changements concernant l'appartenance religieuse de la population québécoise. Voici des graphiques et des tableaux qui illustrent ces changements.

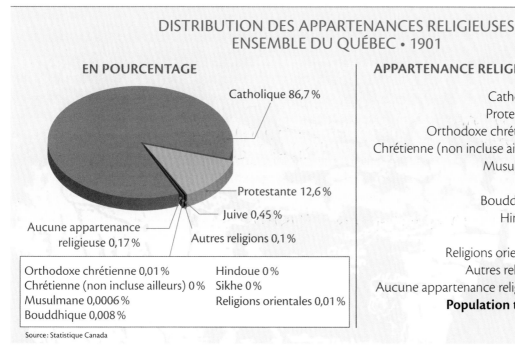

DISTRIBUTION DES APPARTENANCES RELIGIEUSES
ENSEMBLE DU QUÉBEC • 1901

EN POURCENTAGE

Catholique 86,7 %

Protestante 12,6 %

Juive 0,45 %

Aucune appartenance religieuse 0,17 %

Autres religions 0,1 %

Orthodoxe chrétienne 0,01 %   Hindoue 0 %
Chrétienne (non incluse ailleurs) 0 %   Sikhe 0 %
Musulmane 0,0006 %   Religions orientales 0,01 %
Bouddhique 0,008 %

Source : Statistique Canada

APPARTENANCE RELIGIEUSE	POPULATION
Catholique	1 429 260
Protestante	207 122
Orthodoxe chrétienne	215
Chrétienne (non incluse ailleurs)	0
Musulmane	10
Juive	7498
Bouddhique	141
Hindoue	0
Sikhe	0
Religions orientales	204
Autres religions	1668
Aucune appartenance religieuse	2780
Population totale	**1 648 888**

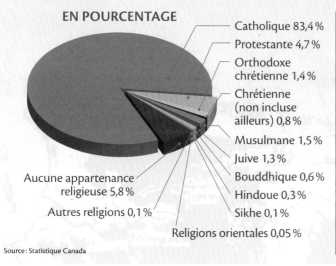

DISTRIBUTION DES APPARTENANCES RELIGIEUSES
ENSEMBLE DU QUÉBEC • 2001

EN POURCENTAGE

Catholique 83,4 %

Protestante 4,7 %

Orthodoxe chrétienne 1,4 %

Chrétienne (non incluse ailleurs) 0,8 %

Musulmane 1,5 %

Juive 1,3 %

Bouddhique 0,6 %

Hindoue 0,3 %

Sikhe 0,1 %

Religions orientales 0,05 %

Aucune appartenance religieuse 5,8 %

Autres religions 0,1 %

Source : Statistique Canada

APPARTENANCE RELIGIEUSE	POPULATION
Catholique	5 939 715
Protestante	335 590
Orthodoxe chrétienne	100 375
Chrétienne (non incluse ailleurs)	56 750
Musulmane	108 620
Juive	89 915
Bouddhique	41 380
Hindoue	24 525
Sikhe	8 225
Religions orientales	3 425
Autres religions	3 870
Aucune appartenance religieuse	413 190
Population totale	**7 125 580**

Les Québécois et les Québécoises du début du XXe siècle étaient presque uniquement catholiques ou protestants. Cent ans plus tard, la population du Québec est encore largement catholique, mais il existe une plus grande diversité de religions pratiquées. Près de 5,8 % de la population n'a aucune appartenance religieuse et constitue le deuxième groupe en importance. Cette situation implique une plus riche et une plus grande diversité de valeurs et de croyances que vous apprendrez à mieux connaître pour mieux « Être en société ».

Éthique

*Réfléchir pour mieux choisir ou
choisir pour mieux être?*

1er CYCLE DU PRIMAIRE

LES BESOINS DES ÊTRES HUMAINS ET D'AUTRES ÊTRES VIVANTS	• Moi, un être vivant unique (chapitre 1) • Des besoins communs et différents (chapitres 1, 3) • La diversité des relations d'interdépendance (chapitres 1, 3)
DES EXIGENCES DE L'INTERDÉPENDANCE ENTRE LES ÊTRES HUMAINS ET D'AUTRES ÊTRES VIVANTS	• Des responsabilités dans la famille et à l'école (chapitre 2) • Des traitements appropriés et inappropriés (chapitre 2) • Des valeurs et des normes qui balisent l'agir dans la famille et à l'école (chapitre 2)

2e CYCLE DU PRIMAIRE

LES RELATIONS D'INTERDÉPENDANCE DANS LES GROUPES	• Le développement de l'identité personnelle et les groupes d'appartenance (chapitre 1) • La diversité des relations entre les membres du groupe (chapitre 3)
DES EXIGENCES DE LA VIE DE GROUPE	• Des valeurs et des normes qui balisent la vie de groupe (chapitre 2) • Des rôles et des responsabilités des membres d'un groupe (chapitre 2) • Des comportements et des attitudes qui contribuent ou nuisent à la vie de groupe (chapitre 3) • Des conditions qui assurent ou non le bien-être personnel de chaque membre (chapitre 3)

3e CYCLE DU PRIMAIRE

DES EXIGENCES DE LA VIE EN SOCIÉTÉ	• Des valeurs et des normes qui balisent la vie en société (chapitre 2) • L'acceptable et l'inacceptable dans la société (chapitre 3)
DES PERSONNES MEMBRES DE LA SOCIÉTÉ	• Un jeune, membre de la société (chapitre 1) • Des différences comme source d'enrichissement et de conflit dans la vie en société (chapitre 1)

- la croissance
- les goûts
- les intérêts
- les besoins physiques, affectifs et intellectuels des êtres humains

- des actions qui comblent les besoins
- l'être humain, un être interdépendant
- les relations d'interdépendance

- des responsabilités
- des rôles
- des règles de vie
- des valeurs comme la collaboration, l'entraide, le partage
- des sources de valeurs et de normes : la famille, l'école, la société, la religion

- mes goûts, mes capacités, mes qualités, mes domaines d'intérêt
- mes traits communs et spécifiques par rapport aux autres
- mes besoins
- les relations harmonieuses, conflictuelles, de contrôle, de pouvoir

- des règles de vie ou des interdits dans différents groupes, leur raison d'être et leur possible remise en question
- les valeurs qui sous-tendent la vie de groupe
- les rôles et les responsabilités dans divers groupes
- des comportements, des attitudes, des actions qui favorisent ou nuisent à la vie de groupe
- la gestion des tensions et des conflits

- des droits et des responsabilités
- des repères pour agir
- des actions et des attitudes qui favorisent ou nuisent à la vie en société
- des comportements appropriés ou inappropriés à l'égard des autres

- les aspects inchangés de sa personnalité
- les besoins liés à l'adolescence
- la place des adolescents dans la société
- l'être humain, un être qui construit sa propre identité au contact des autres

La réflexion éthique

CHAPITRE 1

Des valeurs et des normes qui définissent

Qu'est-ce qui nous définit ? Quelles sont nos pensées et nos idées sur le monde ? Qu'est-ce qui motive nos choix et inspire nos conduites ? Sur quoi basons-nous nos réflexions et nos opinions ? Quels sont nos idéaux individuels et collectifs ? Comment une société se transforme-t-elle ?

LIENS

■ CULTURE RELIGIEUSE
- Des influences sur les valeurs et sur les normes : des comportements et des codes moraux
- Des règles relatives à des comportements familiaux, amoureux, à des devoirs sociaux
- Des symboles associés au divin
- Des personnages marquants

■ DIALOGUE
- Des pistes pour favoriser le dialogue
- Des moyens pour élaborer un point de vue : l'explication, la justification
- Les types de jugements : le jugement de valeur
- Des moyens pour interroger un point de vue

1.1 Des valeurs et des normes au cœur de l'identité

Qu'est-ce qu'une vision du monde ?

Que sont les valeurs et les normes ?

Quels rôles jouent-elles dans notre parcours en éthique ? Comment contribuent-elles à une vision du monde ?

Doc. 1.1 Chaque personne est unique.

© Yuri Arcurs/Shutterstock

L'IDENTITÉ

Au début de notre parcours en éthique, il est important d'aborder en premier ce qu'est l'**identité**. En effet, prendre le temps de mieux nous connaître, c'est découvrir ce que nous sommes, ce qui motive nos choix et ce que nous espérons de l'avenir. Mieux nous connaître, c'est aussi prendre conscience de notre **vision du monde**, de nos **valeurs** et de nos **normes**.

L'identité personnelle

L'identité définit ce qui fait d'un individu une personne différente, spéciale et **singulière**. Il y a trois aspects sur lesquels on s'appuie pour décrire quelqu'un : son apparence, ses relations avec les autres et son univers intérieur (ses pensées, ses émotions, ses connaissances, etc.).

Pour parler de l'aspect physique, nous dirons avoir tel âge, les yeux de telle couleur, mesurer tant de mètres, etc. Pour évoquer nos relations et nos rôles sociaux, nous dirons : « Je suis le fils ou la fille de… J'ai un frère et une sœur. Je viens de tel pays. J'habite telle ville. Je fréquente cette école… ». Nous décrivons ainsi nos liens avec les autres. Pour aborder l'univers intérieur, nous parlons de choses plus personnelles, comme nos désirs, nos besoins, nos aspirations, nos convictions, nos croyances, nos valeurs, nos normes, nos doutes et nos peurs.

Les valeurs et les normes

Nous accordons une grande importance aux valeurs. Ce sont des idéaux auxquels nous nous référons pour mener une bonne vie : par exemple, le respect des autres, l'amitié et l'honnêteté. Notre expérience personnelle, notre famille ou encore l'école déterminent l'importance que nous accordons à différentes valeurs.

Les normes sont des exigences morales qui encadrent les comportements. Ne pas mentir, aider quelqu'un en difficulté, ne pas tricher, en sont des exemples. Les normes font aussi partie des règles qu'on choisit de se donner comme individu. Elles traduisent nos exigences envers nous-mêmes et les autres.

Identité : ensemble des aspects d'une personne, d'un groupe, qui fait son individualité, sa particularité.

Vision du monde : regard que chacun porte sur soi et sur son entourage, qui oriente ses attitudes et ses actions.

Valeur : caractère attribué à des choses, à des attitudes ou à des comportements qui sont plus ou moins estimés ou désirés par des personnes ou des groupes de personnes qui s'y réfèrent pour fonder leur jugement, pour diriger leur conduite.

Norme : règle, loi, exigence morale qui sert de critère pour délimiter un comportement.

Singulière : distincte, unique.

Les valeurs, les normes et les visions du monde

Les valeurs et les normes font en sorte qu'une personne est, pense et agit d'une façon particulière. Elles constituent donc une partie importante de son identité. Comme l'identité d'une personne s'ajuste tout au long de sa vie, le rapport de cette personne avec certaines valeurs et certaines normes se modifie au gré de ses expériences. De plus, comme les valeurs et les normes influencent sa façon d'être et de penser, elles contribuent à l'élaboration de sa vision du monde. Les idées de cette personne sur le monde sont nécessairement influencées par ce qu'elle valorise (valeurs) et par ce qu'elle approuve ou condamne (normes). Réfléchir sur nos valeurs et nos normes nous permet donc de mieux nous connaître et de comprendre nos réactions face à certaines attitudes ou comportements.

L'identité collective

Il n'y a pas que l'individu qui se définit, entre autres, par ses valeurs et ses normes. Les familles, les groupes d'amis, les équipes sportives et autres organisations sociales s'identifient aussi à certaines valeurs et normes, à certaines façons d'être et d'agir.

La famille est un bon laboratoire d'observation pour comprendre cela. Vous est-il déjà arrivé de regarder comment fonctionne votre famille et comment on y évolue ? Avez-vous déjà remarqué les comportements qu'on vous permet et ceux qu'on vous interdit ? Pour connaître les valeurs et les normes d'une famille, il faut porter attention à ce qu'on encourage et à ce qu'on décourage au quotidien, tant en paroles qu'en actes.

Dans le dialogue suivant, entre Diego et sa mère, voyez ce qu'on exige de Diego, un jeune comme vous.

> Mère : Dépêche-toi, tu vas encore manquer ton autobus.
>
> Diego : Oui, oui. J'arrive. As-tu signé ma feuille, comme je te l'ai demandé ?
>
> Mère : Ce n'est pas normal qu'à toutes les semaines, j'aie besoin de signer pour des devoirs non faits… Je veux que tu t'organises mieux, sinon je vais te couper l'Internet. Et puis, sors les ordures. C'est mardi aujourd'hui.
>
> Diego : Je ne peux pas tout faire. Je n'ai pas le temps.
>
> Mère : Tu as des responsabilités, alors organise-toi pour les prendre. C'est comme ça que les gens vont te faire confiance. Allez, dépêche-toi ! Bonne journée. Je t'aime.

Ça vous rappelle quelque chose, ce genre de dialogue ?

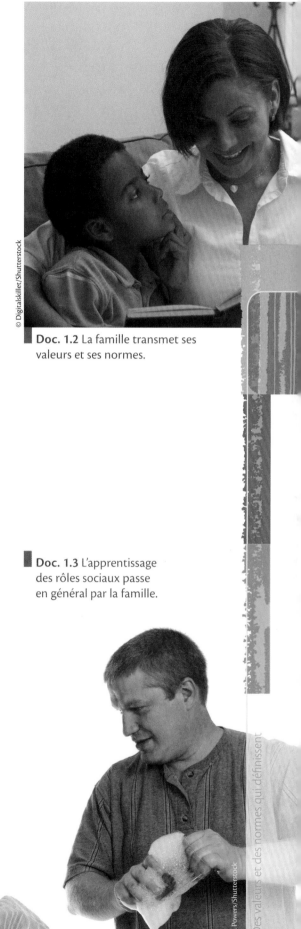

Doc. 1.2 La famille transmet ses valeurs et ses normes.

Doc. 1.3 L'apprentissage des rôles sociaux passe en général par la famille.

Des valeurs et des normes qui définissent

Repère : élément de l'environnement social et culturel auquel on se réfère pour alimenter et éclairer une réflexion éthique.

Règle : norme, imposée ou adoptée, qui sert de ligne directrice à la conduite.

Armoiries : ensemble des signes, devises et décorations qui servent d'emblème à un État, une ville, une association, une famille.

Blason : ensemble des pièces qui constituent les armoiries d'une nation, d'un pays, d'une ville, d'une famille.

Symbole : ce qui représente autre chose et évoque, de façon imagée, une idée ou un concept.

Par ses exigences envers lui, la mère de Diego lui expose ses normes, ses valeurs et ses **repères**. Elle lui révèle aussi son identité : qui elle est, ce en quoi elle croit et ce qui motive ses actions. Pour elle, il est normal de faire les choses dans les délais prescrits. Les valeurs qui motivent ses attentes sont la ponctualité, l'autonomie et le respect.

Comme la famille, les groupes affirment leur identité et leurs attentes. Une ligue de soccer affiche les valeurs qu'elle cherche à promouvoir ; une entreprise établit des **règles** qu'elle fait respecter par ses travailleurs ; un pays déclare ses convictions et les proclame dans un hymne national. C'est ainsi que les valeurs et les normes partagées unissent les individus. Et c'est pour cette raison qu'on les trouve partout dans nos sociétés, car elles sont au cœur de la vie individuelle et sociale.

Doc. 1.5 Le port du costume peut favoriser le sentiment d'appartenance.

DES VALEURS ET DES NORMES QUI S'AFFICHENT

Les personnes et les groupes d'individus s'affirment en affichant leurs valeurs et leurs normes. C'est une façon de se faire reconnaître et de montrer ce qui les distingue. Cela leur permet aussi de faire la promotion des valeurs et des normes auxquelles ils s'identifient.

Comme individu, on affiche son appartenance de différentes manières. Peut-être le drapeau national est-il cousu sur votre sac à dos ? Que représentent les affiches sur les murs de votre chambre ? Vous identifiez-vous aux logos ou aux slogans apparaissant sur vos vêtements ? Peu importe la façon de s'exprimer, chacun de nous cherche à s'affirmer. Dans certains cas, les choix que nous faisons sont le reflet des valeurs auxquelles on s'attache et des normes que l'on adopte. Il arrive aussi que ces choix reflètent simplement nos goûts ou nos préférences.

Les institutions, les organisations, les corporations et les gouvernements énoncent et affichent aussi leurs valeurs et leurs normes. Que ce soit sous la forme d'**armoiries**, de **blasons**, de slogans, de **symboles** ou du port d'un uniforme, les regroupements d'individus manifestent leur attachement à des façons d'être, de penser et d'agir.

Doc. 1.4 Les drapeaux sont des symboles rassembleurs puissants.

Les symboles

Un symbole est une façon de représenter quelque chose d'abstrait d'une manière imagée. Il traduit de façon concrète une notion qui existe sous la forme d'une idée et qui est parfois difficile à exprimer. Pourriez-vous reconnaître certains symboles et dire ce qu'ils représentent ?

© Gouvernement du Québec

▌**Doc. 1.6** Les armoiries du Québec.

Les armoiries du Québec reflètent son histoire politique. Le blason est composé de la fleur de lys, symbole de la France, nation fondatrice de la province. Le léopard or sur fond rouge représente le Régime britannique. Les trois feuilles d'érable évoquent la période actuelle de la fédération canadienne. La devise *Je me souviens* rappelle le **patrimoine** distinctif du Québec.

19020373 © Jupiter Images et ses représentants. Tous droits réservés

▌**Doc. 1.7** La balance, symbole de justice. La balance du juge pèse et compare les actes en fonction des lois.

▌**Doc. 1.9** Les anneaux olympiques représentent l'union pacifique des cinq continents par le sport. L'anneau est symbole d'alliance, de pacte.

Reproduit avec la permission du gouvernement du Canada, 2008

▌**Doc. 1.8** Les armoiries du Canada.

Les armoiries du Canada reflètent les symboles royaux de la Grande-Bretagne et de la France. Le blason est composé des armes des nations fondatrices. Le rameau de trois feuilles d'érable est représentatif de tous les Canadiens et Canadiennes, quelles que soient leurs origines. Au-dessus du blason, se tient un lion portant dans sa patte droite une feuille d'érable rouge. C'est le symbole de la souveraineté du Canada. Du côté gauche du blason, un lion tient une lance d'argent où flotte le drapeau de la Grande-Bretagne. À droite, une licorne tient une bannière de la France royaliste. La devise canadienne *A Mari Usque Ad Mare* signifie « D'un océan à l'autre ». Cette devise rappelle l'héritage chrétien des nations fondatrices. En effet, elle est inspirée du Psaume 72 de la Bible : « Il domina d'une mer à l'autre et du fleuve aux extrémités de la terre ».

Ce symbole, associé à la paix, a été créé en premier par les opposants aux armes nucléaires. Il est composé des lettres **D** et **N** du sémaphore, un alphabet international de signaux. Il signifie **d**ésarmement **n**ucléaire. Les mouvements pacifistes en ont fait leur symbole pour éveiller aux dangers de la guerre.

2294715 © Jupiter Images et ses représentants. Tous droits réservés

▌**Doc. 1.10** Un symbole de la paix.

D en sémaphore

N en sémaphore

Patrimoine : héritage du passé dont nous profitons aujourd'hui et que nous transmettons aux générations à venir.

Des valeurs et des normes qui définissent

1.2 Le sens des valeurs et des normes

La réflexion critique sur le sens que l'on donne aux valeurs et aux normes est l'élément principal de la démarche en éthique. Quel est ce sens ? Pourquoi favorise-t-on une valeur plutôt qu'une autre ? À quoi servent les normes ? Où cela nous mène-t-il ?

■ **Doc. 1.11** La coopération permet de réaliser de grandes choses.

Doc. 1.12 La reconnaissance de l'autre favorise le vivre-ensemble. ■

DEUX GRANDS OBJECTIFS

Nous venons de voir que les valeurs et les normes sont au cœur de l'identité. Cependant, ces mêmes normes et valeurs individuelles ne coïncident pas toujours avec celles qui sont propres à une société démocratique comme la nôtre qui cherche à réaliser deux grands objectifs : la reconnaissance de l'autre et la poursuite du bien commun.

La reconnaissance de l'autre

Reconnaître l'autre, c'est considérer que les individus sont égaux en valeur et en dignité. Cela signifie aussi une ouverture et un respect de la vision du monde de chaque personne. Tout en tenant compte de la diversité, on cherche à rendre possible l'expression des valeurs et des convictions de chacun.

La poursuite du bien commun

La poursuite du bien commun donne un sens aux valeurs et aux normes. En cherchant avec les autres des valeurs communes, on favorise les projets rassembleurs qui améliorent le vivre-ensemble. La poursuite du bien commun vise à faire la promotion des idéaux démocratiques de la société québécoise.

Même si les valeurs et les normes individuelles peuvent être en contradiction avec ces objectifs, la reconnaissance de l'autre et la poursuite du bien commun visent à favoriser un meilleur vivre-ensemble en soutenant les principes, les valeurs et les normes qui sont à la base de la vie publique au Québec. Mais quels sont ces principes ?

DES ATTENTES ET DES PRINCIPES

Dans notre poursuite du vivre-ensemble, certaines choses sont pour nous tellement importantes, que nous souhaitons les partager et les faire promouvoir par le plus de monde possible. Certaines de ces choses sont des valeurs. Les valeurs sont des motivations à faire des choix en fonction de ce que nous croyons être vrai et juste.

Afin que tous partagent ces valeurs, les respectent et les défendent, nous formulons des normes, c'est-à-dire des codes de vie, des lois, etc. Ces normes que nous adoptons définissent des attentes individuelles et collectives. Ces normes servent de guide. Elles sont des repères auxquels les gens se réfèrent pour vivre de manière convenable.

Toutefois, certaines des attentes individuelles et collectives sont si fondamentales qu'elles sont élevées au rang de **principes**. Certains de ces principes font partie de deux grands objectifs : la reconnaissance de l'autre et la poursuite du bien commun. Le respect de la vie, la valeur de la personne humaine dans son **intégrité** et sa dignité ainsi que l'égalité entre les individus sont des valeurs si fondamentales qu'elles sont incluses dans la Charte des droits et libertés de la personne du Québec.

Ces valeurs fondamentales élevées au rang de principes sont à la base de la **Déclaration universelle des droits de l'homme**.

POUR EN SAVOIR +

La **Déclaration universelle des droits de l'homme** a été votée par l'Assemblée générale des Nations unies en 1948, au lendemain de la Deuxième Guerre mondiale. Cette guerre avait été le théâtre des pires actes de barbarie jamais commis dans l'histoire de l'humanité. L'ONU a adopté la Déclaration universelle des droits de l'homme en vue de combattre l'oppression et la discrimination. La Déclaration reconnaissait à l'échelle internationale que les droits de l'homme et les libertés fondamentales s'appliquaient à tous et en tout lieu. La Déclaration universelle constitue un progrès remarquable dans l'histoire de l'humanité. Elle continue aujourd'hui d'influencer la vie des populations et d'inspirer dans le monde entier les actions et la législation en faveur des droits de l'homme.

Le logo des Nations unies.

En voici quelques extraits.

> Considérant que la reconnaissance de la dignité inhérente à tous les membres de la famille humaine et de leurs droits égaux et inaliénables constitue le fondement de la liberté, de la justice et de la paix dans le monde.

> Considérant que la méconnaissance et le mépris des droits de l'homme ont conduit à des actes de barbarie qui révoltent la conscience de l'humanité et que l'avènement d'un monde où les êtres humains seront libres de parler et de croire, libérés de la terreur et de la misère, a été proclamé comme la plus haute aspiration de l'homme.

> L'Assemblée générale proclame la présente Déclaration universelle des droits de l'homme comme l'idéal commun à atteindre par tous les peuples et toutes les nations. […]

> **Article premier** Tous les êtres humains naissent libres et égaux en dignité et en droits. Ils sont doués de raison et de conscience et doivent agir les uns envers les autres dans un esprit de fraternité.

> […]

Principe : conviction morale ; norme qui définit ce qu'il est nécessaire de faire ou de ne pas faire pour atteindre ce qui est reconnu comme bien ; règles d'action basées sur un jugement de valeur qui guident la conduite.

Intégrité : état d'une chose qui est demeurée intacte, qui n'a pas subi d'altération ; droiture, honnêteté d'une personne.

Doc. 1.13 Toute personne a droit au respect.

© Courtnee Mulroy/Shutterstock

Doc. 1.14 C'est la capacité de réfléchir qui nous permet de comprendre le monde et de porter des jugements.

Raison : faculté propre à l'être humain par laquelle il peut penser, connaître et juger.

Autonomie : possibilité de décider sans se référer à une autorité, de déterminer de façon indépendante les règles auxquelles il se soumet.

LA CAPACITÉ DE CHOISIR : LIBERTÉ, RAISON ET AUTONOMIE

Dans la perspective de la reconnaissance de l'autre et de la poursuite du bien commun, nous faisons des choix avec le désir que tous puissent vivre dans le respect de la vie et de la dignité de la personne humaine. Toutefois, comment croire en notre capacité de faire de bons choix ? Ces choix ne font-ils pas que répondre à nos souhaits, nos désirs, nos besoins ? Que veut dire faire un choix raisonnable ?

Dans la vision du monde des sociétés modernes, l'être humain est un être de liberté, doué de la **raison** et qui aspire à devenir autonome. Ces trois affirmations permettent de dire que l'être humain a la capacité de se développer, de discerner ce qu'il juge bon et mauvais et de mener sa vie en s'y conformant.

La raison

L'être humain est capable de raisonner, c'est-à-dire qu'il a la capacité de formuler des idées, de les examiner pour vérifier si elles sont justes et de les juger avec assurance. Cette aptitude à apprécier les choses avec justesse aide à bien décider, à peser le bon et le mauvais côté des choses face à des situations plus ou moins complexes. Cette aptitude permet aussi de déterminer les valeurs et les normes qui méritent d'être mises de l'avant et, ainsi, de motiver des choix.

La liberté

La liberté donne à l'être humain le pouvoir d'agir et de décider par lui-même. C'est la liberté qui permet à une personne de prendre des décisions sans contraintes. La liberté donne à l'être humain la possibilité de choisir ou de rejeter des valeurs et des normes en toute connaissance de cause.

L'autonomie

L'être humain est capable d'**autonomie** et sa raison lui permet de faire des choix éclairés. Devenir autonome signifie être apte à faire ses propres choix de façon responsable, à tenir compte des répercussions de ses choix et à en accepter les conséquences. L'autonomie vient de la capacité à répondre d'une manière toute personnelle et responsable à diverses situations. C'est ce qui permet de se sentir libre face à ses choix.

Doc. 1.15 *La liberté guidant le peuple,* tableau peint en 1830 par le peintre français Eugène Delacroix.

En somme, la vision moderne de l'être humain affirme que nous avons le pouvoir d'agir et de décider par nous-mêmes. Que ce soit sur le plan individuel ou social, l'être humain est à même de juger les valeurs et les normes qui garantissent la liberté et contribuent à l'autonomie. Il est aussi capable de formuler et de comprendre le sens des normes qui encadrent les choix des individus et des sociétés. Il est aussi habile à évaluer d'autres motifs qui influencent ses choix comme ses désirs, ses convictions, ses **besoins**.

Doc. 1.16 Avoir des amis qui nous soutiennent est un besoin essentiel de l'être humain.

DES BESOINS ESSENTIELS

Tous les êtres humains ont des besoins à combler pour vivre. Certains sont plus fondamentaux, d'autres plus accessoires, comme celui de posséder un vêtement de marque. La différence est plus évidente entre les besoins fondamentaux et les besoins accessoires lorsqu'il s'agit de besoins de base ou de survie, tels se nourrir, se vêtir et se loger. Mais la distinction n'est pas toujours facile à faire entre les désirs et les besoins essentiels. Et si, pour m'intégrer à un groupe d'amis, j'avais « besoin » de ce vêtement de marque ?

Néanmoins, les êtres humains ne peuvent se passer de certains éléments essentiels pour survivre ou pour avoir l'impression que leur vie en vaut la peine. Satisfaire les besoins essentiels est un des motifs sur lequel on s'appuie pour fonder des choix. Plusieurs valeurs et normes peuvent être considérées comme des réponses à la satisfaction de ces besoins.

Besoin : exigence de la nature ou de la vie sociale qui porte les êtres vivants à certains actes qui leur sont ou leur paraissent nécessaires.

Les besoins, les valeurs et les normes

Il existe plusieurs liens entre les besoins, les valeurs et les normes. Prenons par exemple l'amitié, et voyons les rapports entre cette valeur, les besoins et les normes qui en découlent. Avoir des amis peut répondre au besoin d'appartenance à un groupe. La famille, l'amour et la solidarité sont d'autres valeurs que l'on associe au besoin d'appartenance. Toutefois, il arrive que des relations tournent à la dispute et que des personnes divulguent ce qu'elles connaissent de l'autre dans le but de faire du tort. Dans la plupart des cas, ces situations se résoudront par la discussion et la réflexion entre les personnes selon leurs valeurs et leurs normes. Dans d'autres cas, plus graves, il pourrait arriver que des personnes doivent de référer à des textes de loi, comme la Charte québécoise des droits et libertés, qui protègent notamment la dignité, l'honneur et la réputation de la personne.

Doc. 1.17 Parfois les relations amicales finissent mal.

Doc. 1.18 L'éducation permet à chacun de se réaliser et de contribuer à la société.

L'éducation est un autre bon exemple. Cette valeur compte dans notre société. Elle répond aux besoins d'estime de soi, de réalisation personnelle et d'appartenance à un groupe. L'éducation nous apparaît essentielle, car elle permet à chaque individu de se développer sur divers plans (intellectuel, affectif, social, etc.) et de devenir plus autonome. En tant que collectivité, l'éducation sera donc valorisée puisqu'elle permet à tous de s'émanciper, de s'exprimer plus librement et de vivre une vie qui réponde à leurs aspirations. D'autres valeurs se greffent à l'éducation, tels le travail, la réussite, l'égalité des chances, et la solidarité. Comme la société juge ces valeurs importantes, elle crée des normes, des lois, des règles, pour les protéger, les promouvoir et les concrétiser. Ne pensez-vous pas que l'école obligatoire jusqu'à 16 ans est une initiative fort intéressante ?

La nécessité qu'éprouve l'être humain de combler ses besoins et ceux de son entourage peut aider à comprendre les valeurs et les normes. La satisfaction des besoins entraîne un contentement, une joie et un sentiment de plénitude. Avoir des parents qui nous protègent en situation de danger est très rassurant ; être avec des amis affectueux et reconnaissants nous valorise. Pour satisfaire cette exigence qui nous est essentielle, nous faisons des choix et adoptons des comportements qui nous aident à survivre, à nous protéger et à nous entraider. Toutefois, il peut nous arriver de confondre besoins essentiels et besoins accessoires. Nos choix peuvent alors nous entraîner dans une tout autre direction.

Doc. 1.19 Abraham Maslow, psychologue américain (1908-1970).

POUR EN SAVOIR +

Les besoins selon Abraham Maslow

Niveau	Besoin
5	Besoin de s'accomplir
4	Besoin d'estime
3	Besoin d'appartenance
2	Besoin de sécurité
1	Besoins physiologiques

La pyramide des besoins.

L'échelle des besoins de Maslow est un bon outil pour s'initier à l'étude des besoins essentiels de l'être humain. Abraham Maslow, un psychologue de formation, a établi cinq catégories de besoins qu'il présente de façon hiérarchique.

Les besoins physiologiques et de sécurité sont d'ordre matériel et assurent la survie. Les besoins d'appartenance, d'estime de soi et de réalisation personnelle sont plutôt d'ordre émotionnel et participent à la qualité de vie.

Les travaux de Maslow sur la satisfaction des besoins comme source de motivation sont encore étudiés aujourd'hui. Des corporations utilisent cette théorie pour accroître le rendement au travail de leurs professionnels. En satisfaisant certains de leurs besoins, comme l'estime de soi, les professionnels sont plus stimulés et donc plus performants.

1.3 L'évolution des valeurs et des normes

L'être humain se transforme. Pensez-vous demeurer la même personne au fil des années ? Qu'est-ce qui vous permet de croire que vous êtes aujourd'hui la même personne qu'hier ? Avez-vous toujours la même identité ?

L'ÉVOLUTION DE L'IDENTITÉ INDIVIDUELLE

Ce qui nous détermine et fait de nous une personne unique, tient à trois aspects : notre apparence, notre rapport aux autres ainsi que notre monde intérieur. Mais ces trois aspects changent et pourtant, au fil du temps, notre identité se maintient. En réalité, cela est possible grâce à la **continuité** de notre expérience quotidienne et à l'intégrité de notre univers intérieur.

Doc. 1.20
Édouard et Chloé à 16 mois.

La continuité

Par exemple, quand je me regarde dans le miroir le matin, je ressemble à la personne que j'ai vue la veille dans ce même miroir avant d'aller au lit. Je fais l'expérience de la continuité. Par contre, quand je regarde des photos de mon enfance, je constate à quel point j'ai changé et comment mon corps s'est transformé. Je sais pourtant que je suis la même personne, car ma mémoire se charge de la continuité entre le passé et le présent.

La cohérence

La même chose se produit au sujet de la pensée, des idées et des émotions. C'est donc un rapport logique entre les valeurs proclamées et les actes commis. Par exemple, si une personne priorise certaines valeurs et que ses gestes sont en lien avec celles-ci, on dira d'elle qu'elle est cohérente. En fait, on constatera qu'une personne qui agit selon ses principes et ses valeurs, est une personne qui ne présente pas de contradiction.

Doc. 1.21 Chloé et Édouard à l'école secondaire.

Le changement et la continuité

Par les liens que j'entretiens avec les autres, je constate qu'il y a aussi changement et continuité. Je suis toujours l'enfant de mes parents mais, depuis un certain temps, les rapports entre nous changent. Ils me donnent plus de responsabilités, me font plus confiance. Ils ne me traitent plus toujours comme un enfant. Ce changement s'est produit au fil du temps, de façon progressive.

Cela est aussi vrai pour les valeurs, les croyances, les idées et les normes qui évoluent avec les expériences. Elles se transforment et se précisent avec le temps tout comme les autres aspects de la personne. Elles entraînent des changements quant à nos façons d'être, de penser et d'agir.

Continuité : qualité de ce qui est continu, de ce qui se continue dans le temps ou dans l'espace.

Cohérence : connexion, rapport logique d'idées qui s'accordent entre elles ; absence de contradiction.

L'ÉVOLUTION DE L'IDENTITÉ SOCIALE

La transformation des individus peut entraîner des changements qui s'opèrent progressivement et modifient la société. Souvenons-nous qu'il n'y a pas si longtemps, tous ceux qui en avaient envie pouvaient fumer une cigarette dans les cafés. Aujourd'hui, parce que la population est consciente des dangers de la cigarette pour la santé, il est interdit de fumer dans les lieux publics. Les comportements face à la sexualité ont aussi beaucoup évolué : autrefois, l'homosexualité était considérée comme un acte criminel. Plus tard, elle a été perçue comme étant une maladie. Aujourd'hui, les **mœurs** de la société ont changé et l'homosexualité est généralement acceptée.

Autres temps, autres mœurs

Les facteurs qui contribuent à l'évolution des normes d'une société sont nombreux. Certains sont liés au progrès dans les domaines scientifiques. Par exemple, des recherches récentes ont démontré que l'idée de race n'était pas exacte. Il existe de nombreuses caractéristiques ethniques différentes mais une seule race humaine.

Les changements dans les façons d'être, de penser et d'agir entre les générations contribuent à l'évolution des normes de la société. La génération des parents ou des grands-parents n'est pas la même que celle de leurs enfants ou petits-enfants.

L'immigration et la mondialisation sont des facteurs qui contribuent à transformer la société. Par exemple, des individus issus de cultures diverses sont mis en contact. Ces rencontres forcent des gens de croyances différentes, ayant des aspirations distinctes, des valeurs et des normes quelquefois opposées, à travailler ensemble. Ces personnes ont le défi de trouver des réponses originales à de nouvelles situations, à de nouveaux choix. La rencontre de multiples visions du monde amène les individus et les sociétés à redéfinir leurs valeurs et leurs normes en fonction de leurs quêtes de liberté, d'autonomie et de justice.

Doc. 1.22 La société québécoise reconnaît maintenant les unions entre conjoints de même sexe.

Mœurs : coutumes et habitudes de vie communes à une société, un peuple, une époque.

Accommodement : arrangement, accord à l'amiable.

POUR EN SAVOIR +

La Commission Bouchard-Taylor

Au Québec, en 2007, la Commission Bouchard-Taylor lançait une large consultation auprès de la population. Cette commission avait pour mandat de faire la lumière sur les pratiques d'**accommodement** reliées aux différences culturelles au Québec. Sur le plan social, on voulait vérifier si le peuple québécois sentait son identité menacée par les nombreux changements qui se produisaient rapidement. On se demandait s'il y avait une rupture de la continuité du patrimoine culturel et de la cohérence des valeurs sociales.

CHAPITRE

Doc. 1.23 Les désaccords ne sont pas tous du même ordre. Certains ont peu de conséquences alors que d'autres peuvent entraîner de graves conflits.

DES TENSIONS ET DES CONFLITS DE VALEURS

Entretenir des relations humaines n'est pas quelque chose de simple et il arrive que des tensions ou des conflits surgissent entre des personnes, des groupes d'individus ou des États.

Les tensions

Les tensions sont causées par des désaccords, des différends entre des points de vue. Elles proviennent d'une incompréhension ou d'une divergence d'opinions concernant des façons d'être, de penser ou d'agir. Les tensions sont des sources de tiraillements, de mésententes. Parfois, certains **compromis** pourront satisfaire les deux parties, ou encore, un **consensus** pourra s'établir.

Les conflits

Les conflits sont causés par des oppositions ou des chocs d'idées. Ils ne relèvent pas de l'incompréhension mais plutôt des positions contraires défendues. Dans les conflits, les opinions sont souvent incompatibles et amènent quelquefois les opposants à se heurter. Les conflits peuvent se résoudre pacifiquement par le dialogue, mais il faudra occasionnellement avoir recours à la négociation et à la délibération. Les conséquences négatives des conflits peuvent aller des blessures physiques ou émotives aux ruptures de relations interpersonnelles de longue date. Les conséquences des conflits d'ordre social entraînent parfois des saccages, des révolutions et des guerres.

Les tensions et les conflits n'ont pas tous la même importance. S'obstiner sur la meilleure saveur de crème glacée n'est pas comme argumenter sur le recours à l'**euthanasie** pour son chien malade. Le premier cas est une question de goût alors que l'autre implique des valeurs et des normes. Le premier porte à peu de conséquences alors que le second a des retombées plus grandes. On parlera de tensions et de conflits de valeurs lorsque ce sont des valeurs ou des normes qui sont en cause.

Compromis : accord dans lequel on fait des concessions mutuelles.

Consensus : accord entre des personnes.

Euthanasie : mort provoquée dans le but d'abréger les souffrances d'un malade incurable.

Doc. 1.24 Le dialogue permet d'arriver à des accords entre les parties.

Des valeurs et des normes qui définissent

QUELLES VALEURS DÉSIREZ-VOUS TRANSMETTRE À VOS ENFANTS ?	% des Québécois
L'importance de la famille	55 %
L'estime de soi	45 %
L'importance de l'éducation	32 %
L'ouverture aux autres et le respect des différences	32 %
La foi religieuse ou la spiritualité	21 %

Sondage réalisé par CROP du 19 juillet au 23 septembre 2007, auprès de 1130 Québécois de 15 ans et plus; la marge d'erreur est de plus ou moins 3 %, 19 fois sur 20. Publié dans *L'actualité* de février 2008

■ **Doc. 1.25** Les valeurs les plus importantes pour les Québécois et les Québécoises.

■ **Doc. 1.26** La famille est une valeur très importante au Québec.

LA TRANSFORMATION DES VALEURS

Dans chaque vision du monde, les valeurs n'ont pas toutes le même poids. Selon les circonstances et selon les individus, certaines seront plus importantes que d'autres. L'amour, par exemple, arrive au premier rang, devant la santé jusqu'au jour où nous devenons malades. En période d'examen, pour certaines personnes, la réussite scolaire passe avant l'amitié. Elles pourront refuser de sortir entre amis pour étudier. Mais, règle générale, les amis passent en premier. Les visions du monde sont à la base des façons d'être, de penser et d'agir.

Dans le dialogue suivant, observez les systèmes de valeurs des deux amies, Ruonan et Julie.

> Julie : Viens-tu regarder un film chez moi vendredi ?
>
> Ruonan : Non, désolée. Mes grands-parents nous rendent visite vendredi.
>
> Julie : Tu préfères ta famille à tes amis ?
>
> Ruonan : Ce n'est pas ça. C'est juste que je n'ai pas souvent l'occasion de les voir.
>
> Julie : Tes parents t'y obligent ?
>
> Ruonan : Pas du tout ! Papi et Mami sont si gentils. Je ne voudrais surtout pas manquer leur visite.
>
> Julie : Eh bien ! Moi, il est clair que je préférerais sortir avec mes amis que de rester chez moi pour voir mes grands-parents. J'aime bien ma famille mais mon vendredi soir, c'est sacré !

L'échange entre Ruonan et Julie a provoqué une tension. Mais que se serait-il passé si Julie avait ajouté :

> Dommage pour toi, car j'ai aussi invité Raphaël ! (un garçon que Ruonan affectionne particulièrement) ?

Tiraillée entre l'amour et la famille, Ruonan aurait-elle fait le même choix ? Comment se serait-elle sentie ? Conflits à l'horizon ? Pouvez-vous nommer des valeurs et des normes qui motivent les positions de l'une ou l'autre des deux amies ?

Nos valeurs varient en fonction des situations. Elles varient aussi au gré des expériences et se transforment avec le temps, comme notre identité. La rencontre de visions du monde différentes peut entraîner des tensions ou des conflits. La résolution des tensions et des conflits de valeurs contribue à modifier les façons d'être, de penser et d'agir. Les tensions et les conflits sont difficiles à vivre lorsqu'il y a des problèmes, mais ils sont néanmoins des sources importantes de transformations des visions du monde et de la société.

QUESTIONS ÉTHIQUES, ENJEUX ÉTHIQUES

C'est souvent lors de la résolution de tensions ou de conflits de valeurs que les valeurs et les normes se transforment. Une nouvelle situation se présente, une idée nouvelle apparaît, des tensions surgissent et nous voilà lancés dans des remises en question. À nouveau, nous devons porter un jugement sur les comportements qu'il serait préférable d'adopter pour préserver la reconnaissance de l'autre et le respect du bien commun.

Certaines tensions, certains conflits surgissent quand il y a tiraillement entre des grandes tendances qui peuvent sembler contraires. Doit-on servir son intérêt personnel ou celui de la collectivité ? Doit-on aller dans le sens du respect de soi ou de celui des autres ? Favoriser l'interdépendance ou l'autonomie ? Poursuivre dans la continuité ou aller vers le changement ? Ce genre de conflit intérieur personnel a aussi des échos dans les groupes d'individus.

© Wrangler/Shutterstock

■ **Doc. 1.27** Intérêt personnel ou collectif ?

La question éthique

Dans le sport amateur, par exemple, on se questionne pour savoir jusqu'à quel point on doit favoriser la performance et la compétition. Il s'agit ici d'une **question éthique**, car elle porte sur un sujet concernant des valeurs et des normes. Cette interrogation peut être soulevée à la suite d'un problème causé par une tension entre des gens pour qui l'affirmation de soi est plus importante que le respect de l'autre. Doit-on favoriser la performance ou la participation ? Est-il préférable de laisser un joueur faible sur le banc et faire en sorte que l'équipe gagne ? Doit-on encourager l'activité physique de chacun au détriment d'une victoire du groupe ?

Interdépendance : dépendance réciproque.

Question éthique : question qui porte sur un sujet concernant des valeurs et des normes.

Enjeu éthique : valeurs ou normes qui sont en jeu.

L'enjeu éthique

La question éthique soulève toujours des **enjeux éthiques**. L'enjeu éthique suscite un débat sur des valeurs et des normes qui sont en jeu dans une situation, c'est-à-dire que deux ou plusieurs visions du monde se confrontent pour tenter de faire respecter leurs priorités. Si nous reprenons la question du sport amateur, nous avons d'une part des gens qui ont une vision du monde qui donne la priorité à la santé, à la participation, à l'activité physique, au plaisir et d'autres qui préconisent la performance, la réussite, l'ambition, la santé.

■ **Doc. 1.28** Participation ou performance ?

De valeurs et des normes qui définissent

Un peu d'histoire

DES GENS ET DES ORGANISMES QUI ONT CONTRIBUÉ À L'ÉVOLUTION DES VALEURS ET DES NORMES AU QUÉBEC

La société québécoise a vécu de nombreux bouleversements, particulièrement depuis les années 1950. Nous devons ces transformations à des femmes et des hommes qui ont été les principaux acteurs de ces changements sociaux. Même si nous n'avons pas leurs photos sur les murs de nos chambres, il est important de connaître leurs contributions afin de pouvoir apprécier l'évolution de notre patrimoine.

Thérèse Forget Casgrain (1896-1981)

Sa contribution : Obtention du droit de vote pour les femmes Avancement de la condition des femmes

Thérèse Forget Casgrain a consacré sa vie à l'obtention de droits sociaux, politiques et économiques pour les femmes. Dans les années 1920, elle fondait avec Marie Gérin-Lajoie un comité provincial pour l'obtention du droit de vote des femmes. Ce n'est qu'en 1940 que son objectif fut atteint. Thérèse Forget Casgrain a eu une grande influence sur le mouvement féministe du Québec. Journaliste, elle a participé à plusieurs mouvements en faveur de la paix. La promotion des droits des Amérindiennes fut une des causes qu'elle défendait dans les dernières années de sa vie.

En 1939, Adélard Godbout, chef du Parti libéral, est élu premier ministre du Québec. Le 20 février 1940, le projet de loi accordant le droit de vote aux femmes est déposé à l'Assemblée législative. Le 1er mars, au nom du clergé, le cardinal Villeneuve envoie dans tous les journaux un communiqué contre le droit de vote des femmes. Le projet de loi est quand même adopté et sanctionné par l'Assemblée législative le 25 avril 1940.

Richard Desjardins (1948-)

Sa contribution : Lutte contre la déforestation

Richard Desjardins est un auteur, compositeur, interprète né à Rouyn-Noranda en Abitibi-Témiscamingue. Préoccupé par l'état de la forêt boréale, avec son ami Robert Monderie, il mène une vaste enquête sur la déforestation dont les résultats seront présentés sous forme de documentaire. Le film choc *L'erreur boréale* met en lumière la situation critique de la forêt québécoise. Ce documentaire soulève la question de la responsabilité collective devant la destruction d'un environnement unique au monde, la forêt boréale, cette importante richesse que l'on croyait inépuisable. Richard Desjardins a aussi contribué à la fondation de l'Action boréale, un organisme qui a pour mission de surveiller l'évolution du dossier de nos forêts. *L'erreur boréale* a gagné de nombreux prix dont le prix Solidarité Canada-Sahel, décerné à une personne ayant contribué de manière significative à la lutte contre la désertification, le prix du reportage magazine du Festival international du film d'environnement de Paris et le grand prix du festival, mention environnement au Festival international du film nature et environnement de Grenoble, France.

Pierre Dansereau (1911-   )

Sa contribution: Fondation de l'écologie moderne

Pierre Dansereau est considéré comme l'un des fondateurs de l'écologie moderne à l'échelle mondiale. Il a contribué à éveiller le public aux questions environnementales. Élève du frère Marie-Victorin, Pierre Dansereau s'intéresse à l'impact des êtres humains sur la nature par l'agriculture, l'urbanisation et l'industrialisation. Il est d'ailleurs un des premiers à parler de développement durable. Il a ouvert la voie à l'éthique environnementale par laquelle il encourage la solidarité, le partage, la simplicité volontaire et l'austérité joyeuse. À qui veut l'entendre il répète : « Nous vivons dans le confort et l'indifférence » et pense que cette attitude est la principale menace qui pèse sur l'environnement.

Photo Jacques Grenier

Virginie Larivière (1979-   )

Sa contribution: Mobilisation de l'opinion publique contre la violence à la télévision

À la suite du sauvage assassinat de sa sœur, Marie-Ève, en 1992, Virginie Larivière décide de lancer une pétition contre la violence à la télévision. Elle réclame l'adoption d'une loi interdisant toute violence gratuite à la télévision. Du haut de ses treize ans, Virginie Larivière fait campagne dans les médias et réussit à recueillir plus de 1,3 million de signatures qu'elle présente au Premier ministre canadien de l'époque, Brian Mulroney. Sa campagne a incité les télédiffuseurs à adopter des mesures volontaires afin de ne plus présenter d'émissions violentes avant 21 heures. Depuis 1997, des indicateurs mentionnent l'âge recommandé des téléspectateurs auxquels s'adressent les émissions.

© Radio-Canada

CHARTE DES DROITS ET LIBERTÉS DE LA PERSONNE

Considérant que tout être humain possède des droits et libertés intrinsèques, destinés à assurer sa protection et son épanouissement ;

Considérant que tous les êtres humains sont égaux en valeur et en dignité et ont droit à une égale protection de la loi ;

Considérant que le respect de la dignité de l'être humain et la reconnaissance des droits et libertés dont il est titulaire constituent le fondement de la justice et de la paix ;

Considérant que les droits et libertés de la personne humaine sont inséparables des droits et libertés d'autrui et du bien-être général ;

1. Tout être humain a droit à la vie, ainsi qu'à la sûreté, à l'intégrité et à la liberté de sa personne.
2. Tout être humain dont la vie est en péril a droit au secours.
3. Toute personne est titulaire des libertés fondamentales telles la liberté de conscience, la liberté de religion, la liberté d'opinion, la liberté d'expression, la liberté de réunion pacifique et la liberté d'association.
4. Toute personne a droit à la sauvegarde de sa dignité, de son honneur et de sa réputation.

Doc. 1.29
Extrait de la Charte des droits et libertés de la personne, adoptée à l'unanimité par l'Assemblée nationale du Québec en 1975.

Culture et société

Les choix que font les individus sont-ils cohérents avec leurs principes ?
Les valeurs mises de l'avant sont-elles soutenues par des actions appropriées ?
Les jeunes sont-ils de beaux parleurs ? Font-ils des gestes face à ce
qu'ils dénoncent ? Voici un portrait des valeurs des jeunes du Québec
établi à partir de récents sondages. Vous reconnaissez-vous ?

Doc. 1.31 Les jeunes sont conscients des enjeux environnementaux.

■ **Doc. 1.30** Plusieurs jeunes sont en bonne forme physique, bien que les cas d'obésité préoccupent la santé publique.

UN PORTRAIT DES VALEURS DES JEUNES

Vivant dans une société pluraliste, les jeunes Québécois et Québécoises sont ouverts et tolérants. Ils considèrent l'égalité entre les individus, hommes et femmes, comme une évidence. Ils sont en général pacifistes et plusieurs d'entre eux se disent contre la participation militaire canadienne dans des missions de combat. Bien informés, les jeunes sont à l'aise avec les nouvelles technologies. Ils effectuent un retour marqué dans l'arène politique.

La question nationale et celle de la valorisation de la langue les intéressent mais la culture qu'ils téléchargent est principalement anglophone. À l'oral, ils s'expriment bien en français et sont capables d'articuler des idées.

© Mikeljay/Shutterstock

Plus sensibilisés aux enjeux planétaires et environnementaux que leurs parents, les jeunes sont en faveur d'une répartition équitable des richesses de la terre. Cependant, leurs quêtes de bonheur et d'affirmation de soi passent souvent par une grande consommation de biens et de services divers. Ils sont solidaires des autres peuples mais disent ne pas vouloir changer leur mode de vie tout en encourageant le recyclage.

Le Québec est un des endroits au monde où l'homosexualité est le mieux acceptée. Il y a une grande ouverture au sujet des mariages entre partenaires de même sexe. Par contre, chez les jeunes, il subsiste encore de la peur et de l'incompréhension face à l'homosexualité.

Source : Sondage CROP-*L'Actualité*-Radio-Canada, 2007

■ **Doc. 1.32** Les jeunes sont ouverts et accueillants.

Si l'on recule dans le temps, on constate que depuis le début du siècle dernier, les valeurs et les normes ont considérablement changé au Québec. En suivant les transformations d'une génération à l'autre, le groupe Mes Aïeux propose son regard sur cette évolution.

Dégénérations

Ton arrière-arrière-grand-père il a défriché la terre
Ton arrière-grand-père il a labouré la terre
Et pis ton grand-père a rentabilisé la terre
Pis ton père il l'a vendue, pour devenir fonctionnaire

Et pis toi mon p'tit gars tu sais pus c'que tu vas faire
Dans ton p'tit trois et d'mie, ben trop cher fret en hiver
Il te vient des envies de dev'nir propriétaire
Et tu rêves la nuit d'avoir ton petit lopin d'terre.

Ton arrière-arrière-grand-mère elle a eu quatorze enfants
Ton arrière-grand-mère en a eu quasiment autant
Et pis ta grand-mère en a eu trois c'tait suffisant
Pis ta mère en voulait pas, toi t'étais un accident

Et puis toi, ma p'tite fille, tu changes de partenaire tout l'temps
Quand tu fais des conn'ries, tu t'en sors en avortant
Mais y a des matins, tu te réveilles en pleurant
Quand tu rêves la nuit, d'une grand' table entourée d'enfants

Ton arrière-arrière-grand-père a vécu la grosse misère
Ton arrière-grand-père il ramassait les cennes noires
Et pis ton grand-père, miracle, y est devenu millionnaire
Ton père en a hérité il a tout' mis dans ses REER

Et pis toi p'tite jeunesse tu dois ton cul au Ministère
Pas moyen d'avoir un prêt dans une institution bancaire
Pour calmer tes envies de «hold-uper» la caissière
Tu lis des livres qui parlent de simplicité volontaire

Tes arrière-arrière-grands-parents ils savaient comment fêter
Tes arrière-grands-parents ça swingnait fort dans les veillées
Pis tes grands-parents ont connu l'époque yé-yé
Tes parents c'tait les discos c'est là qu'ils se sont rencontrés

Et pis toi mon ami qu'est-ce que tu fais de ta soirée ?
Éteins donc ta TV faut pas rester encabané
Heureus'ment que dans vie certaines choses refusent de changer
Enfile tes plus beaux habits car nous allons ce soir danser

S. Archambault/E. Desranleau/M.-H. Fortin/F. Giroux/M-A Paquet, Éditions S.B

© André-Carl Vachon

Doc. 1.33 Une famille de défricheurs en 1914.

© Alain Carrière

Doc. 1.34 La nostalgie d'une époque idéalisée. ■

Ici et ailleurs
Des femmes et des hommes qui ont changé le monde

Les changements sociaux survenus à travers le monde contribuent à l'évolution des valeurs et des normes. Tout comme au Québec, un peu partout sur la planète, des personnalités ont été à l'origine de grands changements. Ces transformations ont un écho dans la société québécoise qui bénéficie de l'apport d'autres visions du monde. Voici quelques-unes de ces personnalités qui ont changé la face du globe par leurs initiatives.

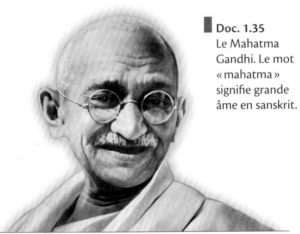

Doc. 1.35
Le Mahatma Gandhi. Le mot « mahatma » signifie grande âme en sanskrit.

Doc. 1.36
Rosa Parks.

Mohandas Karamchand Gandhi (1869-1948)

Gandhi était un dirigeant politique, un guide spirituel important de l'Inde et le père de l'indépendance de ce pays. Il a fait des études de droit à Londres. De retour dans son pays occupé par les Britanniques, il a lancé de vigoureuses campagnes pour l'indépendance de l'Inde, appelant le peuple à la désobéissance civile. Il a été l'apôtre de la non-violence active et de l'égalité entre les hommes. Les aspects les plus importants de son éthique et de sa personnalité sont l'honnêteté, la tolérance, le rejet du mensonge et la recherche de la vérité. Il a été emprisonné plusieurs fois. Il a participé à la négociation de l'Indépendance de l'Inde en 1947. Il est mort assassiné en 1948. Le 2 octobre, date anniversaire de Gandhi, a été déclarée *Journée internationale de la non-violence* par l'Assemblée générale des Nations unies. Les phrases suivantes, écrites par Gandhi en 1927, résument bien sa pensée: « Œil pour œil, et le monde entier devient aveugle. Il y a beaucoup de causes pour lesquelles je suis prêt à mourir, mais aucune pour laquelle je suis prêt à tuer ».

Rosa Lee Parks (1913-2005)

Lutte pour mettre fin à la discrimination raciale
Avancement de la condition sociale des Noirs

La vie de Rosa Parks a changé définitivement le 1er décembre 1955 lorsqu'elle refusa de céder sa place à un homme blanc dans un autobus à Montgomery, Alabama aux États-Unis. Elle ne se doutait pas que son simple geste d'exaspération citoyenne allait mener à une véritable révolution des mentalités. Rosa Parks et un jeune pasteur, Martin Luther King, mèneront une campagne non violente qui, en 1964, va aboutir à l'abolition de la ségrégation raciale aux États-Unis. Militante pour les droits civiques, Rosa Parks a insisté pour qu'on encourage la jeunesse à étudier son histoire afin de savoir ce que signifie être noir dans l'Amérique d'aujourd'hui. Elle rappelait qu'il ne faut pas tenir l'égalité pour acquise et qu'il faut continuer à en faire la promotion.

Ce ne sont là que quelques-unes des personnalités qui ont fait progresser les idées et contribué au mieux-être individuel et collectif. Elles en ont inspiré plusieurs autres qui poursuivent les combats amorcés. Certains d'entre eux sont encore d'actualité : la lutte pour la reconnaissance de l'égalité et du droit des femmes, les questions environnementales et, bien entendu, la promotion de la paix.

Doc. 1.37
Gro Harlem Brundtland.

Doc 1.38 Le drapeau d'Israël.

Doc 1.39 Le drapeau palestinien.

Gro Harlem Brundtland (1939-   )
Promotion du développement durable
Valorisation du partage des richesses

Médecin de formation, Gro Harlem Brundtland s'intéresse aux questions du développement humain et de l'environnement. Elle est devenue ministre de l'Environnement puis Première ministre de la Norvège. Parallèlement, elle a présidé la Commission mondiale pour l'environnement et le développement de l'Organisation des Nations unies (ONU). Cette commission a publié *Notre avenir à tous*, mieux connu sous le nom de rapport Brundtland. On y développait pour la première fois le concept du développement durable. Selon elle, le développement durable est plus qu'une idée : il doit devenir la norme dans l'économie mondiale.

© Martial Trezzini/epa/Corbis

Shulamit Katznelson (1919-1999)
Promotion de la paix par le dialogue
Éducation à la reconnaissance de l'autre

Shulamit Katznelson est une femme qui a misé sur le dialogue pour aborder les problèmes de coexistence entre les Israéliens et les Palestiniens. Elle a créé l'école Oulpan Akiva à Metanya, au nord de Tel Aviv. Dans cette école innovatrice, des Israéliens s'initient à l'arabe et des Palestiniens se mettent à l'étude de l'hébreu. Pour Shulamit Katznelson, ce sont les contacts de personne à personne et la capacité de chacun à parler la langue de l'autre qui sont les fondements nécessaires pour construire la paix. La connaissance de la culture de l'autre a permis de jeter les bases du dialogue dans cette région tendue du globe. Shulamit Katznelson a constaté que plusieurs Israéliens et Palestiniens qui s'étaient rencontrés pendant les cours demeuraient en contact par la suite.

- Les trois aspects qui décrivent le caractère unique d'une personne sont : l'apparence physique, les liens aux autres et l'univers intérieur.

- L'identité d'une personne évolue tout au long de sa vie.

- Les valeurs et les normes font partie de l'identité d'une personne. Elles font en sorte que cette personne est, pense et agit d'une certaine façon.

- Les personnes et les groupes d'individus s'identifient et s'unissent autour de certaines valeurs et certaines normes. Ces valeurs et normes assurent, entre autres, leur cohésion.

- Les symboles, les styles vestimentaires et autres signes permettent d'afficher ses valeurs et ses normes, mais aussi ses goûts et ses préférences.

- Dans la société québécoise, la promotion de certaines valeurs et l'adoption de certaines normes se font dans la perspective du mieux-être individuel et collectif.

- La reconnaissance de l'autre et la poursuite du bien commun sont soutenues par trois grands principes.

- Grâce à son jugement, l'être humain a la capacité d'évaluer les valeurs et les normes qui participent à la liberté et contribuent à l'autonomie.

- Des normes et des valeurs vont parfois de pair avec la volonté de satisfaire les besoins essentiels que ressentent les êtres humains.

- La continuité et la cohérence de notre expérience rappellent ce que nous avons été par le passé et nous assurent de ce que nous sommes maintenant.

- Plusieurs facteurs peuvent faire évoluer les normes sociales. C'est le cas notamment des progrès scientifiques, de l'immigration et de la mondialisation.

- Les tensions et les conflits de valeurs, qui surviennent au sujet d'enjeux éthiques, entraînent des changements quant aux façons d'être, de penser et d'agir, individuellement et collectivement.

- Les valeurs n'ont pas toujours le même poids. Selon les circonstances et les individus, certaines valeurs auront plus d'importance que d'autres.

- Les questions éthiques sont des questions qui portent sur des sujets concernant des valeurs et des normes.

- Les enjeux éthiques sont des valeurs ou des normes qui sont en jeu dans un problème donné.

1 Comment des progrès scientifiques, par exemple, peuvent-ils faire évoluer les normes sociales ?

2 Pouvez-vous définir le mot valeur en quelques mots ?

3 Que veut dire le mot norme ?

4 Qu'est-ce qu'un symbole ?

5 Qu'est-ce que l'éthique ?

6 Quels sont les trois grands principes de la société québécoise ?

7 Qu'est-ce qu'une vision du monde ?

8 Pouvez-vous expliquer l'un des deux grands objectifs de la société québécoise ?

9 Que veut dire l'expression « faire un choix éclairé » ?

10 Quels sont les trois principaux aspects pour décrire un individu ?

11 Quels besoins sont satisfaits par l'éducation ?

12 Pouvez-vous donner deux exemples de la vie quotidienne dans lesquels des valeurs n'auraient pas le même poids ?

13 Quelle est la distinction entre une question éthique et un enjeu éthique ? Répondez à l'aide d'un exemple.

14 Sachant que les questions éthiques sont des questions portant sur des valeurs et des normes, formulez-en une.

15 Pouvez-vous nommer trois personnalités qui ont contribué au changement de la société québécoise et dire ce qu'elles ont fait ?

16 Comment les valeurs et les normes sont-elles au cœur de notre identité ?

17 Nommez trois motifs sur lesquels on se base pour faire des choix.

18 En vos mots, qu'est-ce qu'un repère ?

19 Nommez deux des repères auxquels la société québécoise se réfère en matière de respect de l'intégrité de la personne.

20 Pouvez-vous illustrer par deux exemples des liens entre des symboles et des valeurs ?

21 On voit parfois, lors d'une contestation, des individus brûler le drapeau d'un pays. Quelle est la portée de ce geste ?

22 Nommez deux valeurs en jeu dans les problèmes suivants : le tabagisme, le taxage, le téléchargement illégal de musique.

23 Y a-t-il des différences entre les valeurs individuelles et collectives ? Si oui, lesquelles ? Si non, pourquoi ?

La réflexion éthique

La réflexion éthique

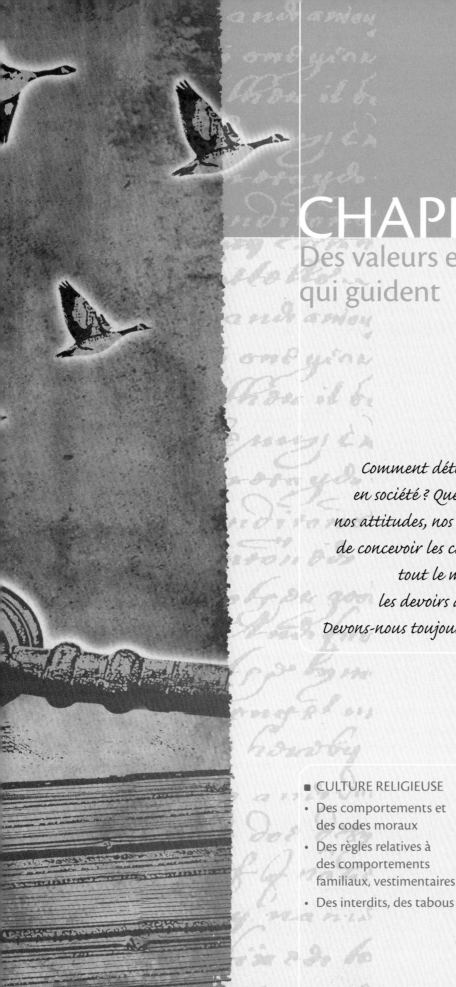

CHAPITRE 2

Des valeurs et des normes qui guident

Comment déterminons-nous notre conduite en société ? Quels sont les repères qui guident nos attitudes, nos comportements et notre façon de concevoir les choses ? Sont-ils les mêmes pour tout le monde ? Quels sont les droits et les devoirs des individus dans la société ? Devons-nous toujours nous soumettre aux règles ?

LIENS

■ CULTURE RELIGIEUSE

• Des comportements et des codes moraux

• Des règles relatives à des comportements familiaux, vestimentaires

• Des interdits, des tabous

■ DIALOGUE

• Les formes du dialogue : le panel

• Des moyens pour élaborer un point de vue : la justification

• Des entraves au dialogue fondées sur l'appel aux autres

2.1 Des repères qui guident les choix

Qu'est-ce qui guide nos réflexions ? Sur quoi basons-nous nos actions ? De quels facteurs devons-nous tenir compte quand nous agissons ? Est-ce à chacun de décider pour soi ? Comment arriver à vivre ensemble dans un tel contexte ?

Doc. 2.1 Différentes motivations poussent les gens à agir.

Réflexe : réaction non réfléchie et immédiate.

DES MOTIFS QUI FONDENT LES CHOIX

Au quotidien, l'être humain agit souvent par **réflexe**. Par contre, dans certaines situations peu habituelles, il est amené à réfléchir, à s'interroger. Il se demande comment agir, et pourquoi faire telle action plutôt qu'une autre. Il réfléchit à ses choix et explore ses motivations à agir.

Les motifs pour lesquels nous faisons tel ou tel choix sont nombreux. Parmi eux figurent les besoins, les croyances, les valeurs et les normes. Par exemple, une personne peut ramasser un déchet et le mettre aux ordures parce qu'elle souhaite vivre dans un environnement sain (valeur), parce qu'elle désire être félicitée (besoin d'estime) ou parce qu'on l'y oblige et qu'elle ne veut pas être punie (norme). Les motifs qui fondent les choix sont parfois très différents selon les personnes.

Réfléchir aux motifs

Vous connaissez sûrement le proverbe : « Des goûts et des couleurs il ne faut pas discuter. » Mais est-ce vrai dans tous les cas ? Nos motifs nous poussent à des actions qui manifestent une intention et qui entraînent des conséquences. Il est donc pertinent d'y réfléchir, d'en discuter, de les justifier.

Ainsi, le désir d'avoir de l'argent amène les jeunes à faire un choix. Par exemple, ils peuvent travailler fort pour réussir leurs études afin d'exercer une profession bien rémunérée plus tard. Ils peuvent aussi décider de faire fructifier les gains que leur procure un travail à temps partiel en plaçant cet argent à long terme. Certains peuvent même être tentés de recourir au vol ou au commerce illégal pour parvenir à leurs fins. Nos choix nous concernent, mais, en même temps, nous sommes amenés à en discuter et à les justifier parce qu'ils ont des conséquences pour nous et pour les autres.

Doc. 2.2 Le désir d'avoir de l'argent amène les gens à faire des choix.

2 CHAPITRE

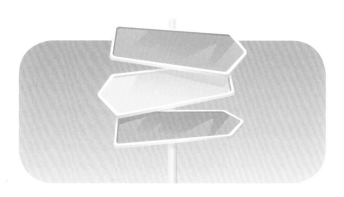

LES TYPES DE REPÈRES

Pour arriver à faire des choix éclairés, on s'appuie sur des repères. Ce sont des ressources de l'environnement social et culturel auxquelles une personne se réfère pour alimenter et éclairer sa réflexion éthique dans le but de faire des choix. Les repères peuvent être, par exemple, d'ordre moral, religieux, scientifique, littéraire, artistique, économique ou juridique.

Dans l'exemple précédent sur le désir d'avoir de l'argent, c'est le repère sur lequel la personne s'appuie le plus qui guidera son choix. Par exemple, si elle considère que l'effort est important, elle travaillera fort pour réussir afin d'exercer une profession bien rémunérée plus tard. Son repère est alors la valeur accordée à l'effort. Si son repère est la norme sociale qui interdit le vol, elle va sans doute penser qu'il vaut mieux se retrouver sur les bancs d'école qu'en prison.

Cette personne pourrait aussi s'appuyer sur un repère économique, comme un article publié dans un magazine d'affaires, où on explique qu'investir dans l'éducation fait la richesse d'une société. Elle pourrait encore se laisser guider par un repère moral, comme le proverbe disant que « l'argent ne fait pas le bonheur ».

Ces repères servent à appuyer, à justifier des choix et aident ainsi à poser des jugements éclairés.

© Jurial Enterprises/Shutterstock

Doc. 2.3 Les jeunes qui désirent avoir de l'argent peuvent décider de faire l'effort nécessaire pour réussir leurs études.

© Rafa Irusta/Shutterstock

Doc. 2.4 Les codes de lois sont des repères juridiques essentiels dans une société.

© Stanislav Bokack/Shutterstock

Doc. 2.5 Devant plusieurs possibilités, nous devons réfléchir au choix que nous faisons.

Conflit de valeurs : situation dans laquelle on doit choisir entre deux valeurs.

DES JUGEMENTS ÉCLAIRÉS

Qu'est-ce qu'un jugement ? Un jugement, c'est une façon de voir des choses, des comportements, des situations ou des idées.

Pour parvenir à porter un jugement éclairé, nous réfléchissons aux conséquences des choix qui s'offrent à nous en tenant compte des valeurs et des normes en présence. Imaginons le cas suivant : Alex a obtenu la permission d'aller au cinéma avec ses amis. Ses parents lui ont cependant demandé de rentrer tout de suite après, car demain il doit se lever tôt pour garder sa petite sœur. Après le cinéma, son groupe d'amis décide de poursuivre la soirée chez l'un d'eux. Pour Alex, le sentiment d'appartenance au groupe est très important, mais le respect de la parole donnée l'est encore plus. Il décide donc, en faisant appel à son jugement, de rentrer à la maison.

On voit donc que, dans un **conflit de valeurs**, nous sommes très souvent amenés à porter un jugement. C'est en remettant en question nos opinions et en interrogeant nos jugements que nous pouvons évaluer des idées, des valeurs ou des comportements. Ainsi, nous développons notre autonomie de pensée. Pour expliquer son choix, la personne peut s'appuyer sur un ou plusieurs jugements. Dans l'exemple ci-dessus, Alex s'est appuyé sur un jugement de valeur : respecter son engagement était pour lui une valeur plus importante que le plaisir de rester avec ses amis.

En interrogeant nos propres jugements, nous développons notre autonomie puisque nous devenons capables d'identifier nos motivations, nos intentions ou nos objectifs de vie. Finalement, cela nous aide à nous sentir plus libres et plus responsables de nos propres choix.

© Rafael Ramirez Lee/Shutterstock

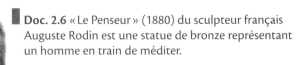

Doc. 2.6 « Le Penseur » (1880) du sculpteur français Auguste Rodin est une statue de bronze représentant un homme en train de méditer.

2 CHAPITRE

2.2 Pas de liberté sans responsabilités

Comment être un individu libre, alors qu'on a besoin des autres ? Comment être une personne libre, en tenant compte de la liberté d'autrui ? Est-il vrai que la liberté d'une personne finit là où celle des autres commence ? Peut-on être libre tout en ayant des obligations envers les autres ? Liberté et engagement sont-ils contradictoires ?

ENSEMBLE ET LIBRES

Avez-vous déjà pensé, en soupirant : « Comme je serais libre sur une île déserte, sans personne pour me dire quoi faire » ? Étant donné que nul d'entre nous ne vit sur une île déserte, la présence des autres est inévitable. Cette présence nous est même nécessaire pour combler plusieurs de nos besoins. Par exemple, les autres nous apportent protection, réconfort, partage, plaisir, créativité, stimulation dans les échanges d'idées. Par contre, les autres peuvent aussi représenter une limite, voire un obstacle à notre liberté individuelle. Cette opposition peut créer des tensions entre le désir d'épanouissement personnel et l'intérêt collectif, entre le désir d'affirmation de soi et le respect des autres. Comment conserver son indépendance face à l'influence des autres, de ses parents par exemple, alors qu'on en a pourtant besoin ?

Liberté et adolescence

On reconnaît généralement que le désir de liberté soit particulièrement fort à l'adolescence. À l'adolescence, on prend conscience de soi-même, de son potentiel, de la possibilité qu'on a de conduire sa vie à sa guise. Mais ce « moi » qui se découvre s'aperçoit qu'il est toujours vis-à-vis d'un « tu ». La liberté n'est donc pas à sens unique. Pour en arriver à s'entendre et à coopérer entre personnes qui se reconnaissent comme libres, il faut un certain respect mutuel. Nous sommes libres, mais nos amis, nos parents, nos frères et soeurs le sont aussi. Il est alors essentiel de se respecter mutuellement pour préserver nos libertés respectives.

© iofoto/Shutterstock

Doc. 2.7 L'enfant vit une tension, car il veut se libérer des personnes dont il a le plus besoin.

Obligation : contrainte, devoir imposé par la loi, la morale, les conventions sociales ou les circonstances.

À l'adolescence, même si on souhaite généralement le moins de règles possible et que l'on perçoit souvent ces règles comme des restrictions, on découvre qu'il n'est pas profitable, ni pour soi ni pour autrui, de faire uniquement ce que l'on veut. Parfois, il en va de notre propre sécurité et de la sécurité des autres. Nous pouvons nous sentir libres et trouver très agréable l'idée de rouler très vite en voiture, mais nous mettons alors en danger notre propre vie et celles d'autres personnes. En agissant ainsi, nous mettons en question notre propre liberté en mettant en péril notre avenir. De plus, nous menaçons la liberté des autres qui n'auraient certainement pas choisi de se retrouver victimes d'un accident de voiture.

Doc. 2.8 La préoccupation de soi ne doit pas nous faire perdre de vue la présence et l'importance des autres dans notre vie.

Liberté et amitié

Si nous apprécions les autres, c'est notamment parce que nous éprouvons le désir d'aimer et d'être aimé. Dans une relation interpersonnelle fondée sur l'amitié ou l'amour, chacun donne généralement à l'autre la possibilité de se développer, d'être lui-même. Autrement dit, chacun permet à l'autre de poursuivre sa quête de liberté. Une relation sera probablement plus bénéfique quand les partenaires se sentent libres d'être vrais, d'être **authentiques**.

Authentique: d'une sincérité totale.

Une relation repose aussi sur l'engagement mutuel des partenaires. S'engager ainsi suppose une certaine confiance envers l'autre. Dans votre groupe d'amis, vous échangez des propos, des confidences avec les autres. Que ressentiriez-vous si une personne du groupe allait raconter à d'autres ce qui s'est dit dans le secret ? Vous vous sentiriez probablement trahi. Tenir la promesse de ne pas dire un secret, quand la sécurité ou la santé ne sont pas en jeu, permet de renforcer nos liens de confiance avec les autres. Il est aussi rassurant de savoir que nos amis respectent ce même engagement. On pourrait croire que notre liberté est alors limitée par le fait de devoir respecter le secret que quelqu'un nous a confié, mais il n'en est rien puisque nous avons décidé librement et sans contrainte de garder le secret. La liberté, c'est aussi assumer ses propres choix.

Doc. 2.9 Une relation interpersonnelle positive est une relation dans laquelle chacun des deux partenaires se sent libre d'être vrai.

La façon dont un individu se comporte envers ses amis repose notamment sur les valeurs de respect mutuel, d'honnêteté, de loyauté et de confiance. Les normes, souvent **tacites**, prescrivent de ne pas mentir, de ne pas trahir, de ne pas blesser, de tenir ses promesses, entre autres. Ne pas respecter nos engagements, nos obligations envers nos amis nous empêche de construire des relations enrichissantes. Ces relations sont alors basées sur l'indifférence ou la négligence et entraînent méfiance, hypocrisie et mensonge.

On voit donc que respecter les autres ne veut pas dire que notre liberté est brimée. Nous prenons volontairement un engagement envers d'autres personnes avec lesquelles nous désirons être authentiques.

Tacite : qui est sous-entendu, non exprimé.

Doc. 2.10 Est-ce important de garder un secret ?

LIBERTÉ ET ORDRE SOCIAL

Existe-t-il des règles chez vous à la maison ? Que pensez-vous de ces règles ? Qui les établit ? À quoi servent-elles ? Par exemple, que se passe-t-il si quelqu'un entre dans votre chambre sans frapper ?

Liberté et rapport aux autres

Toute personne fait partie d'une communauté. Elle vit sa liberté dans un rapport aux autres et doit s'imposer des limites en vue du déroulement harmonieux de la vie en société.

La liberté se vit dans le respect d'autrui, respect sans lequel nul ne peut être libre. Être libre, en fin de compte, c'est accepter d'être pleinement responsable de ses actes, de répondre de ses choix et d'être fidèle à ses engagements.

Doc. 2.11 Le rapport aux autres est-il source de bonheur ?

Une **maxime** résume ce principe : « Abstiens-toi de faire ce qui peut nuire à autrui. » Formulée de façon positive, la maxime pourrait être : « Fais ce qui rend heureux ». Cela ressemble à l'antique règle d'or, présente dans toutes les sociétés : « Ne fais pas aux autres ce que tu ne voudrais pas qu'ils te fassent. »

Nous avons des responsabilités à l'égard de nous-mêmes, de notre famille et de nos amis. Ces responsabilités prennent la forme d'une entente tacite : je vous respecte et vous me respectez, et ainsi, je vous donne et vous me donnez la possibilité d'être de plus en plus libre, de façon responsable.

Maxime : formule qui prescrit une règle morale.

Liberté et société

Ce même genre d'entente se retrouve aussi entre tous les membres d'une société, du moins dans les sociétés démocratiques comme la nôtre. Tous s'entendent pour reconnaître qu'il est raisonnable de se soumettre à certaines règles, même s'ils ne les ont pas votées personnellement. Se soumettre à ces lois, à ces normes, limite la liberté individuelle, mais cette restriction de liberté est volontaire car elle procure plus de sécurité. Elle permet aussi d'exercer notre liberté de façon plus responsable.

Un peu d'histoire

LES PHILOSOPHES DU XVIIIᵉ SIÈCLE

Jean-Jacques Rousseau

Des philosophes du XVIIIᵉ siècle, dont Jean-Jacques Rousseau (1712-1778), ont développé l'idée du « contrat social » entre les membres de la société. Pour ces philosophes, tous les humains sont égaux et doivent être traités sur un pied d'égalité. Chaque humain est aussi un être naturellement libre.

Par le contrat social, les individus acceptent d'abandonner la possibilité de faire tout ce qu'ils veulent, comme ils le veulent, en échange d'un ordre social qui garantit à chacun la sécurité, la liberté, l'égalité et la jouissance de ses biens en toute quiétude et dans la dignité. Ils s'assurent ainsi de vivre dans une société où ce n'est pas le plus fort qui l'emporte, où il n'y a pas d'abus de pouvoir. Le contrat social garantit donc la construction d'une société plus juste, moins violente.

Les citoyens confient à des personnes qu'ils élisent pour les représenter le pouvoir de prendre des décisions et de faire des lois, en leur nom, pour le bien commun. Si les dirigeants négligent de s'occuper du bien commun, les citoyens ont le droit de les remplacer.

À une époque où les gens étaient soumis à l'autorité absolue d'un roi tout-puissant, ces idées étaient révolutionnaires. Elles ont bien sûr profondément déplu au roi, qui a cherché à en interdire la publication. Ces idées ont quand même réussi à pénétrer peu à peu les mentalités. Elles sont à l'origine, entre autres, de la Révolution française de 1789.

La réflexion de ces philosophes qui ont exprimé des idées de liberté et d'égalité a été guidée, « éclairée » en quelque sorte, par la raison. C'est pourquoi, pour faire image, on a appelé le XVIIIᵉ siècle le siècle des Lumières.

L'organisation sociale des sociétés modernes s'inspire largement des idées de philosophes du XVIIIe siècle. De ces philosophes, les sociétés actuelles ont retenu la grande idée que la liberté ne peut se vivre sans un engagement volontaire et responsable envers les autres.

Le respect de la vie privée

L'adhésion aux normes de vie en société ne veut pas dire que l'individu renonce à sa vie privée. La société respecte d'ailleurs le désir de chaque individu de jouir d'un espace intime et elle reconnaît le droit à un espace personnel, une zone d'intimité et de confidentialité. Le respect de la vie privée est un droit protégé par des normes précises.

La réalisation de soi, l'épanouissement personnel, relève du domaine privé. Cependant, l'espace personnel et l'espace social ne sont pas séparés par des cloisons étanches. Par exemple, le fait que des individus, dans l'intimité de leur foyer, téléchargent de la musique illégalement pousse la société à établir des règles afin de protéger les droits d'auteur. Les choix individuels ont donc des répercussions sur la vie sociale et sur certains choix de société.

La protection de la vie privée est un droit énoncé dans la Charte des droits et libertés de la personne, dans le Code civil du Québec et dans le Code criminel. Ces mécanismes de protection visent à empêcher l'intrusion de quiconque dans notre intimité, la publication de faits appartenant à notre vie privée, l'atteinte à notre réputation ou encore le vol de notre identité.

Doc. 2.12
En informant les autres de ses moindres faits et gestes par le cellulaire, on s'expose à voir son domaine privé envahi.

© Alexander Kalina/Shutterstock

POUR EN SAVOIR +

Le droit à l'image

En 1988, une jeune fille s'est reconnue sur une photo publiée dans une revue. Elle avait été photographiée à son insu pendant qu'elle profitait du soleil, assise sur les marches d'un escalier, à Montréal. Elle a porté plainte pour atteinte à sa vie privée et a gagné sa cause. La revue a fait appel de ce jugement au nom de la liberté d'expression. La cause s'est rendue jusqu'à la Cour suprême, qui a maintenu le jugement des cours inférieures et rendu un jugement très nuancé, dans un souci de maintenir l'équilibre entre la liberté d'expression et le droit à la vie privée.

© Lambermont/Photo News/Ponopresse

Doc. 2.13 Le phénomène des paparazzi pose le problème de la limite entre vie privée et vie publique.

Dans la bulle : Y VONT APPRENDRE À ME CONNAÎTRE !

© Musée McCord M997.52.57

Doc. 2.14 Au Canada, les caricaturistes peuvent se moquer d'un homme ou d'une femme politique en toute liberté, sans risquer d'aller en prison. Cette caricature de Serge Chapleau représente Pierre Bourque, ancien maire de Montréal.

LE DROIT À LA LIBERTÉ

Au Canada, la liberté est aussi un droit fondamental qui est reconnu à chaque personne par la société. Nous n'avons pas besoin de demander ce droit, de le revendiquer. Il nous est donné d'office et il est inscrit dans des lois. Le droit à la liberté prend de nombreuses formes : liberté de croyance, liberté d'opinion, liberté d'expression, liberté de réunion pacifique, liberté d'association, pour n'en nommer que quelques-unes. Ces libertés sont inscrites dans la Charte canadienne des droits et libertés. Au Québec, elles figurent dans la Charte des droits et libertés de la personne.

Au Canada, nous jouissons d'une grande liberté d'expression. On peut par exemple critiquer le gouvernement et les institutions sans crainte de se faire emprisonner. Comme la presse est libre, nous avons aussi accès à une information de qualité. La liberté d'informer est vitale pour la santé d'une démocratie.

Un peu d'histoire

LA CRISE D'OCTOBRE 1970

Saviez-vous que, au Québec, il est déjà arrivé que les libertés individuelles soient suspendues ? Lors de la crise d'Octobre, en 1970, le premier ministre canadien de l'époque, Pierre Elliott Trudeau, a décrété la Loi des mesures de guerre, le temps que se règle la crise provoquée par l'enlèvement d'un diplomate britannique et d'un ministre québécois. La suspension des libertés fondamentales a donné lieu à l'arrestation et à l'emprisonnement de centaines de personnes innocentes.

© Presse canadienne

Doc. 2.15 L'armée canadienne a patrouillé les rues de Montréal lors de la crise d'Octobre, en 1970.

Repères culturels et liberté

Les penseurs ne sont pas les seuls à exprimer des idées sur la liberté. Des artistes et des écrivains livrent aussi leur propre vision de la liberté, dans les œuvres qu'ils créent.

Certains textes sont devenus des repères par leur profondeur et leur capacité à émouvoir. C'est le cas du poème *Liberté*, de Paul Éluard, qui se termine ainsi : « Et par le pouvoir d'un mot, je recommence ma vie ; je suis né pour te connaître, pour te nommer, liberté. »

Au Québec, plusieurs textes ont été inspirés par le thème de la liberté. Citons, par exemple, la chanson suivante, composée par Marjo.

Doc. 2.16
Une envolée d'oiseaux est une image poétique évocatrice de liberté.

© Alan Heartfield/Shutterstock

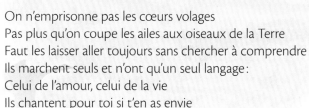

Chats sauvages

On n'apprivoise pas les chats sauvages
Pas plus qu'on met en cage les oiseaux de la Terre
Faut les laisser aller comme on les laisse venir au monde
Faut surtout les aimer, jamais chercher à les garder
Tout doucement je veux voyager
En te jasant d'amour et de liberté

On n'emprisonne pas les cœurs volages
Pas plus qu'on coupe les ailes aux oiseaux de la Terre
Faut les laisser aller toujours sans chercher à comprendre
Ils marchent seuls et n'ont qu'un seul langage :
Celui de l'amour, celui de la vie
Ils chantent pour toi si t'en as envie

Je me sens un peu comme le chat sauvage
Et j'ai les ailes du cœur volage
Je veux pas qu'on m'apprivoise, je veux pas non plus qu'on me mette en cage
Je veux être aimée pour ce que j'ai à te donner
Tout doucement je veux voyager
En te jasant d'amour et de liberté

Cette chanson, elle est pour nous :
Elle jase d'amour et de liberté

© Marjolène Morin

2.3 L'autonomie et l'ordre social

Comment être soi-même tout en respectant les exigences de la vie en société ?

Comment développer son autonomie quand on est soumis à des normes ?

Doit-on obéir aux normes ? Faut-il subir l'influence du groupe ou s'en libérer ?

La désobéissance peut-elle être une expression de notre autonomie ?

Doc. 2.17 Les jeunes sont très sensibles aux normes de leur groupe d'appartenance.

Conformisme : fait de se comporter en accord étroit avec les idées, les normes ou les usages établis.

LES COMPORTEMENTS À L'ÉGARD DES LOIS

Par ses valeurs et ses normes, sa culture et ses divers repères, la société impose aux individus certains comportements. La majorité des individus se conforment à ces attentes. Toutefois, pour développer son autonomie, une personne doit réfléchir au bien-fondé des règles en usage. Parfois, sa réflexion l'amènera à aller à l'encontre de ce qui est attendu par la société.

Le conformisme social

Très tôt dans la vie, l'enfant assimile par imitation certaines façons d'être et d'agir des parents. En grandissant, il reproduit ces comportements par désir de leur plaire. L'éducation se poursuit à l'école où l'élève fait des apprentissages qui reflètent les valeurs sociales. Progressivement, la personne intègre les valeurs de son milieu, apprend à se conformer à certaines normes et adhère aux grands objectifs de sa société. Une personne bien intégrée adoptera ainsi des comportements conformes aux attentes de cette société. Les comportements acceptables sont valorisés par des récompenses et les comportements inacceptables sont découragés par des punitions. Ce **conformisme** social rapproche les individus autour des mêmes valeurs, des mêmes idéaux. Il s'exerce ainsi une pression pour inciter à se plier à la volonté du groupe.

À l'adolescence, on cherche souvent à prendre ses distances par rapport aux valeurs prônées par les adultes, particulièrement par les parents. Les amis prennent alors beaucoup d'importance. Par besoin d'appartenance, les jeunes cherchent à ressembler aux autres membres de leur groupe. Ainsi, tout en affichant un anticonformisme à l'égard de la société, se pourrait-il que les jeunes soient conformistes à leur façon ? Souvent, sans qu'on s'en aperçoive, ce conformisme indique comment il faut se comporter, depuis la façon de se tenir, de se coiffer ou de s'habiller jusqu'au type de musique à écouter.

C'est en arrivant à vaincre les pressions sociales que l'on parvient à définir, à développer et à affirmer son identité. Et c'est tout un sentiment de liberté qu'on ressent alors ! Cependant, la question se pose : comment concilier la pression qui nous pousse à suivre les normes et le besoin que nous ressentons d'être plus autonome ?

Des droits et des devoirs

Toute société édicte des normes pour assurer l'harmonie entre les individus. Ces normes se présentent souvent sous la forme de lois écrites qui réglementent plusieurs des comportements humains. Les lois définissent les devoirs, les obligations et les droits des individus. Tous sont tenus de s'y conformer.

Il y a plusieurs façons de se comporter à l'égard de la loi. On peut s'y soumettre par crainte d'une punition. On peut aussi y obéir sans se poser de questions, parce que « la loi, c'est la loi ». On peut enfin décider de suivre la loi parce qu'on y a réfléchi et qu'on comprend son rôle, son utilité dans la société. On choisit alors de s'y conformer en toute connaissance de cause. C'est ce qui s'appelle l'obéissance autonome. C'est d'ailleurs la signification du mot « autonomie » : celui-ci indique que la norme (*nomia*) vient de soi-même (*auto*). Cette autonomie, associée au jugement critique, amène l'individu à comprendre le sens de ses droits et à se sentir concerné par ses devoirs.

Mais qu'est-ce qu'un droit ? Qu'est-ce qu'un devoir ? Il est important d'établir une distinction claire entre les deux. Un droit est ce qu'on exige, ce qu'on attend des autres. Un devoir, à l'opposé, est ce que les autres exigent, attendent de chacun de nous.

Bien sûr, devoir et plaisir ne riment pas toujours. Le devoir est pourtant ce que l'on se doit, à soi et aux autres, pour mieux vivre ensemble et protéger des valeurs fondamentales telles que la liberté, le respect de la personne et celui de la vie privée.

Les chartes de droits établissent les devoirs qui incombent à la société et à chacun de ses membres afin de rendre possibles la satisfaction des besoins des individus et la réalisation de leurs aspirations. Ces chartes, qui énumèrent clairement les droits des individus, visent à les protéger contre toute forme d'abus de pouvoir.

© The Gallery Collection/Corbis

Le code du roi Hammourabi

Les premiers textes de lois, qui visaient à codifier les usages et les coutumes d'un peuple, sont très anciens. C'est vers 1700 avant notre ère qu'on aurait élaboré le code juridique d'Hammourabi, roi de Babylone, en Mésopotamie (aujourd'hui l'Irak). Ce code était gravé sur des stèles, qui étaient déposées dans les villes du royaume. Il est écrit dans le prologue qu'Hammourabi veut « faire prévaloir la justice dans le pays, pour éliminer le méchant et le pervers, pour empêcher le fort d'opprimer le faible ».

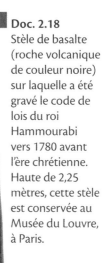

Doc. 2.18
Stèle de basalte (roche volcanique de couleur noire) sur laquelle a été gravé le code de lois du roi Hammourabi vers 1780 avant l'ère chrétienne. Haute de 2,25 mètres, cette stèle est conservée au Musée du Louvre, à Paris.

Un peu d'histoire

Doc. 2.19
Hippocrate
(vers 460 – 370
avant l'ère
chrétienne)

LE SERMENT D'HIPPOCRATE

Hippocrate était un médecin grec du Ve siècle avant l'ère chrétienne. Dans sa famille, on était médecin de père en fils. Hippocrate avait des exigences très élevées à l'égard de sa profession. Les jeunes qu'il formait devaient faire le serment de respecter ces exigences. Aujourd'hui encore, les futurs médecins continuent de prêter le « serment d'Hippocrate ». Ce serment engage au devoir de discrétion, au respect de la vie, à l'intégrité et à la prudence. On peut donc considérer Hippocrate comme le père de la déontologie médicale.

Les codes de déontologie

Les devoirs des membres de certaines professions comme la médecine, les soins infirmiers ou la fonction policière sont inscrits dans des codes de déontologie (du grec *deontos*, le devoir). Ces codes ont pour fonction de protéger la population quand elle requiert les services de ces professionnels.

Les règles de conduite énoncées dans un code de déontologie sont précises et claires. Par exemple, le Code de déontologie des policiers du Québec prescrit que le policier ou la policière « doit utiliser une arme et toute autre pièce d'équipement avec prudence et discernement » (article 11). Un manquement au code de déontologie, en plus de mettre en péril la carrière d'une personne, peut entraîner une pénalité ou une peine d'emprisonnement.

POUR EN SAVOIR +

Les obligations des enseignants et enseignantes

La profession enseignante n'est pas régie par un code de déontologie. C'est dans l'article 22 de la Loi sur l'instruction publique que sont contenues les obligations des enseignants et enseignantes.

> Article 22. Il est du devoir de l'enseignant:
> 1. de contribuer à la formation intellectuelle et au développement intégral de la personnalité de chaque élève qui lui est confié;
> 2. de collaborer à développer chez chaque élève qui lui est confié le goût d'apprendre;
> 3. de prendre les moyens appropriés pour aider à développer chez ses élèves le respect des droits de la personne;
> 4. d'agir d'une manière juste et impartiale dans ses relations avec ses élèves;
> 5. de prendre les mesures nécessaires pour promouvoir la qualité de la langue écrite et parlée;
> 7. de respecter le projet éducatif de l'école.

La Loi sur l'instruction publique donne aussi des obligations aux élèves. Chaque élève doit prendre soin des biens mis à sa disposition et les rendre à la fin des activités scolaires (article 8). Chaque élève a l'obligation de fréquenter l'école jusqu'au dernier jour du calendrier scolaire de l'année au cours de laquelle il atteint l'âge de 16 ans (article 14).

© MWProductions/Shutterstock

Doc. 2.20 L'enseignant ou l'enseignante doit collaborer à développer le goût d'apprendre chez ses élèves.

Un peu d'histoire

LES CODES DE BIENSÉANCE

Connaissez-vous les bonnes manières ? Pouvez-vous en citer quelques-unes ? Les bonnes manières, ou codes de bienséance, désignent un ensemble de comportements à respecter pour rendre la vie en société plus harmonieuse et pour assurer le respect mutuel dans les relations interpersonnelles. Elles sont propres à la société dans laquelle on vit et elles évoluent dans le temps.

Doc. 2.21 Parler bruyamment au téléphone en public est considéré comme un manque de savoir-vivre.

Certaines règles de bonne conduite en vigueur jadis nous paraissent aujourd'hui tout à fait désuètes. Par exemple, saviez-vous qu'autrefois, quand une femme entrait dans une pièce où se trouvaient des hommes assis, ceux-ci devaient absolument se lever ? Ils devaient aussi se lever si une femme se levait. À l'inverse, une femme devait rester assise à l'arrivée de nouvelles personnes dans la pièce. Quand on présentait deux personnes l'une à l'autre, on devait toujours présenter d'abord la personne la plus jeune à la plus âgée, et l'homme à la femme. En classe, les élèves devaient se lever à l'arrivée de leurs professeurs et il était hors de question de les tutoyer ou de les appeler par leur prénom.

Doc. 2.22 Certaines entreprises offrent à leur personnel des cours de bonnes manières à table en vue des dîners d'affaires.

Au cours des années 1970, on a eu tendance à reléguer les bonnes manières aux oubliettes. Dans la vague de contestation de l'époque, il était de bon ton de tutoyer son employeur, pour montrer que l'on rejetait toute hiérarchie sociale. À l'école, les élèves tutoyaient leurs enseignants et enseignantes. Des parents incitaient leurs enfants à les appeler par leur prénom, ce qui choquait la génération précédente, qui vouvoyait ses parents.

Aujourd'hui, on tente de réintroduire des règles de bienséance dans l'éducation des jeunes. C'est le cas du vouvoiement, que plusieurs écoles exigent aujourd'hui de leurs élèves. Les technologies nouvelles appellent aussi à de nouvelles règles, inexistantes autrefois. La nétiquette, c'est-à-dire l'étiquette sur Internet, commande, par exemple, de ne pas écrire en lettres majuscules, car cela équivaut à crier.

Doc. 2.23 Les bonnes manières varient selon les époques et les cultures.
© WizData, inc./Shutterstock

Liberté de conscience : pouvoir d'agir en conformité avec ce que nous dicte notre conscience.

Réprouver : rejeter.

Doc. 2.24 Des personnes refusent de pratiquer des dissections parce qu'elles s'opposent à l'utilisation des animaux en laboratoire.

LA DISSENSION SOCIALE

Bien que la société s'attende à ce que tous les individus respectent ses normes, il arrive qu'on considère une loi comme injuste ou contraire à ses convictions. Dans une société démocratique, il existe plusieurs façons de démontrer son opposition. Le militantisme dans des groupes syndicaux, politiques ou autres, la participation à des manifestations ou à des protestations sont des exemples de moyens utilisés afin de faire changer les lois ou d'influencer des décisions politiques. Si une personne juge une norme contraire à ses valeurs ou à ses convictions profondes, elle peut se demander alors : « Dois-je tout de même obéir à cette loi ? Mon devoir n'est-il pas plutôt de désobéir ? »

En répondant à ces questions, la personne peut décider de défier les autorités en se fondant sur la **liberté de conscience**. La liberté de conscience existe dans les sociétés où l'on accorde une grande importance à l'individu et à ses droits. Par exemple, à l'école, l'élève qui s'oppose à ce que l'on teste des produits sur les animaux peut aller jusqu'à demander une exemption pour ne pas faire de dissection. Dans le domaine de la santé, un ou une spécialiste peut refuser de pratiquer un avortement si une telle intervention est contraire à ses valeurs et à ses convictions.

Il existe deux types particuliers de dissension sociale : l'objection de conscience et la désobéissance civile.

L'objection de conscience

L'objection de conscience consiste à refuser d'accomplir des actes que notre conscience **réprouve**. Elle prend le plus souvent la forme d'un refus de remplir des obligations militaires. Certaines sociétés reconnaissent l'objection de conscience dans leurs chartes. Depuis 1985, le 15 mai est la Journée internationale de l'objection de conscience.

La désobéissance civile

La désobéissance civile est le refus d'obéir à une loi jugée injuste. Bien souvent, la personne qui accomplit un acte de désobéissance civile le fait dans le but d'amener un changement dans la loi ou la politique du gouvernement.

Doc. 2.25 Plusieurs soldats américains ont refusé d'aller faire la guerre en Irak parce qu'ils estimaient que c'était une guerre d'agression, alors que leur gouvernement prétendait qu'il s'agissait d'une guerre défensive.

L'expression «désobéissance civile» a été inventée au XIXᵉ siècle par l'écrivain et philosophe américain Henry David Thoreau. Thoreau a mené une vie simple et solitaire. Il gagnait sa vie, entre autres, comme instituteur. En 1845, il refusa de payer une taxe destinée à financer une guerre contre le Mexique, un refus qui lui valut la prison. Cette expérience lui inspira l'ouvrage *Discours sur la désobéissance civile*, dans lequel il écrit: «La seule obligation qui m'incombe, à juste titre, consiste à agir en tout moment en conformité avec l'idée que je me fais du bien.» Sa pensée a influencé Mohandas Gandhi et Martin Luther King.

Il existe aussi des exemples où des personnes s'unissent pour s'opposer au pouvoir en place, et ce, avec succès. Entre 1933 et 1945, l'Allemagne est dirigée par le parti nazi, un parti raciste qui pourchasse les Juifs. En 1943, environ 1500 Juifs, mariés à des Allemandes catholiques, sont arrêtés et détenus dans un centre communautaire de Berlin, rue Rosenstrasse, en attendant leur déportation dans un camp de la mort. Scandant «Rendez-nous nos hommes», leurs épouses veillent tout le jour devant le bâtiment. Après six jours de protestation, ces femmes solidaires et entêtées obtiennent la libération de tous les prisonniers. Cette histoire peu connue montre que quand de simples individus se mettent ensemble pour obtenir un changement, leur pouvoir est très grand.

Au Canada, dans les années 1970, la loi interdisait l'avortement. Partisan du libre choix des femmes, le docteur Henry Morgentaler défie la loi et pratique des avortements. Il est emprisonné à plusieurs reprises. En 1988, il obtient une grande victoire: cette année-là, la loi sur l'avortement est jugée inconstitutionnelle et l'avortement est décriminalisé.

Doc. 2.26
Henry David Thoreau (1817 – 1862).

© Adam Carr

Doc. 2.27 Mémorial, rue Rosenstrasse, qui rappelle la force de la désobéissance civile.

BAC PA-164027

Doc. 2.28 Manifestation de femmes en faveur de l'avortement. Même si sa pratique est n'est pas illégale, le recours à l'avortement soulève encore de nombreuses questions éthiques.

Culture et société

Le Canada et le Québec sont des sociétés régies par des lois, qui déterminent les droits et les devoirs des individus. Deux de ces lois sont des repères incontournables : la Charte canadienne des droits et libertés et la Charte des droits et libertés de la personne du Québec.

LA CHARTE CANADIENNE DES DROITS ET LIBERTÉS

La Charte canadienne des droits et libertés est contenue dans la Constitution adoptée en 1982. Cette charte protège les droits des individus.

Les droits protégés sont regroupés en plusieurs catégories. En voici quelques-unes :

- Les libertés fondamentales
- Les droits démocratiques, tel le droit de vote
- La liberté de circuler et de s'établir partout au pays
- Des garanties juridiques, comme le droit à la vie, à la liberté et à la sécurité de sa personne
- Des droits à l'égalité devant la loi, sans discrimination de race, d'origine nationale ou ethnique, de couleur, de religion, de sexe, d'âge ou de déficience mentale ou physique

Les libertés fondamentales garantissent aux Canadiens et aux Canadiennes la liberté de concevoir et d'exprimer des opinions, la liberté de se réunir avec d'autres personnes pour en discuter et la liberté de les diffuser. Ces activités sont fondamentales pour pouvoir exercer la liberté individuelle. Elles sont nécessaires au maintien d'une société démocratique comme le Canada.

Bien que ces libertés soient inscrites dans la Charte, il arrive qu'elles soient restreintes par des lois. Par exemple, il existe des lois destinées à lutter contre certaines formes de pornographie ou contre la propagande haineuse. Ces lois tracent une limite raisonnable à la liberté d'expression puisqu'elles empêchent que des personnes ou des groupes ne subissent un préjudice.

Même si le Québec a refusé d'adhérer à la Constitution canadienne de 1982, il est tout de même tenu d'appliquer les dispositions de la Charte.

© Brooks Kraft/Sygma/Corbis

© Brooks Kraft/Sygma/Corbis

Doc. 2.29 Les libertés fondamentales permettent à chacun d'exprimer ses opinions sur la place publique. Ici, des personnes manifestent pour le non tandis que d'autres manifestent pour le oui lors du référendum de 1995 sur la souveraineté du Québec.

LA CHARTE DES DROITS ET LIBERTÉS DE LA PERSONNE DU QUÉBEC

La Charte des droits et libertés de la personne du Québec a été adoptée par l'Assemblée nationale du Québec en 1975. Les articles 1 à 38 de cette charte ont prédominance sur toutes les autres lois du Québec.

Voici quelques droits et libertés fondamentaux consacrés par la Charte :

• Le droit à la vie, à l'intégrité et à la liberté

• Les libertés de conscience, d'opinion, d'expression, de réunion pacifique et d'association

• Le droit à la sauvegarde de l'honneur et de la réputation

• Le droit au respect de la vie privée

La Charte québécoise reconnaît aussi le droit de vote et le droit de se porter candidat ou candidate à une élection.

LA CONVENTION RELATIVE AUX DROITS DE L'ENFANT

Parmi les conventions internationales auxquelles le Canada adhère figure la Convention relative aux droits de l'enfant, adoptée par l'assemblée générale des Nations unies en 1989. Ce document énonce les droits fondamentaux reconnus par les États signataires aux jeunes de moins de 18 ans. Outre les droits garantis aux adultes, la Convention donne aux jeunes des droits spécifiques, dont le droit d'être protégé contre les influences nocives, les mauvais traitements et l'exploitation, le droit à l'éducation, le droit de ne pas être enrôlé dans une armée avant l'âge de 15 ans.

CONVENTION RELATIVE AUX DROITS DE L'ENFANT

Article 28
Les États parties reconnaissent le droit de l'enfant à l'éducation.

Article 29
1. Les États parties conviennent que l'éducation de l'enfant doit viser à :
   c) Inculquer à l'enfant le respect de ses parents, de son identité, de sa langue et de ses valeurs culturelles, ainsi que le respect des valeurs nationales du pays dans lequel il vit, du pays duquel il peut être originaire et des civilisations différentes de la sienne ;
   d) Préparer l'enfant à assumer les responsabilités de la vie dans une société libre, dans un esprit de compréhension, de paix, de tolérance, d'égalité entre les sexes et d'amitié entre tous les peuples et groupes ethniques, nationaux et religieux, et avec les personnes d'origine autochtone ;
   e) Inculquer à l'enfant le respect du milieu naturel.

Article 31
1. Les États parties reconnaissent à l'enfant le droit au repos et aux loisirs, de se livrer au jeu et à des activités récréatives propres à son âge.

Article 38
3. Les États parties s'abstiennent d'enrôler dans leurs forces armées toute personne n'ayant pas atteint l'âge de quinze ans.

Doc. 2.30 Extraits de la Convention relative aux droits de l'enfant.

Doc. 2.31 Les enfants soldats sont non seulement privés de liberté mais aussi de leur droit à l'éducation et aux loisirs. L'ONU estime à environ 300 000 le nombre d'enfants soldats dans le monde.

La *Magna Carta* et la Déclaration des droits de l'homme et du citoyen

Nous venons de voir que, au Canada, les droits et libertés sont inscrits dans des chartes. D'autres pays garantissent également les droits des individus au moyen de textes de lois. Cependant, les libertés individuelles ne sont pas reconnues dans tous les pays.

Le droit canadien et le droit québécois trouvent leur source historique notamment dans la *Magna Carta* d'Angleterre et la Déclaration des droits de l'homme et du citoyen de France. Ces deux chartes ont grandement inspiré les sociétés démocratiques dans l'établissement de leurs normes et de leurs valeurs. Ce sont d'importants repères légaux dans notre société.

 Doc. 2.32
La *Magna Carta* de 1215.

Doc. 2.33 La Déclaration des droits de l'homme et du citoyen de 1789.

La *Magna Carta* (ou Grande Charte) de 1215, promulguée par le roi d'Angleterre, Jean sans Terre, est considérée comme le premier document dans lequel un roi reconnaît qu'il n'est pas au-dessus des lois. Rédigée en latin, cette «Charte des libertés d'Angleterre» affirme le droit à la liberté individuelle et établit des mesures pour protéger ce droit: «Aucun homme libre ne sera arrêté ni emprisonné, ou dépossédé de ses biens, ou lésé de quelque manière que ce soit, sans un jugement loyal de ses pairs conformément à la loi du pays.»

La Révolution française de 1789 met fin aux privilèges d'une classe sociale et établit le principe de l'égalité entre tous les citoyens. La Déclaration des droits de l'homme et du citoyen, issue de la Révolution, proclame que la liberté est un droit fondamental. Influencée par la Déclaration d'indépendance américaine de 1776, la Déclaration des droits a une portée universelle, car elle affirme que la liberté est un droit naturel inaliénable.

Des libertés individuelles bafouées

Dans les pays démocratiques, les libertés individuelles sont généralement respectées. Cependant, il peut arriver que ces libertés soient quelques fois bafouées. Ici comme ailleurs dans le monde, des individus et des organismes militent pour protéger les droits et libertés de la personne.

Dans plusieurs pays, les libertés individuelles ne sont pas reconnues. Les dirigeants empêchent ouvertement les gens d'exprimer des idées qui remettent en cause leur pouvoir. Des personnes sont emprisonnées pour leurs opinions politiques, elles sont menacées de mort ou même assassinées. En voici quelques exemples.

© Robert van den Berge/Sygma/Corbis

Doc. 2.34 Bhagdro, un moine tibétain, a été emprisonné pendant trois ans pour avoir protesté publiquement et pacifiquement contre la domination de son pays, le Tibet, par la Chine.

© Sukree Sukplang/Reuters/Corbis

Doc. 2.35 Aung San Suu Kyi a passé sa vie à dénoncer publiquement le régime militaire auquel est soumis son pays, le Myanmar (Birmanie). Elle vit en liberté surveillée, c'est-à-dire qu'elle n'a pas le droit de quitter son domicile. Elle a reçu le prix Nobel de la paix en 1991.

© Yuri Kotchetkov/epa/Corbis

Doc. 2.36 Dans plusieurs pays, les autorités exercent une **censure** contre la presse. Certains journalistes poursuivent quand même leur travail d'information, parfois au péril de leur vie. En Russie, malgré les menaces de mort qu'on lui faisait, la journaliste Anna Politkovskaya a dénoncé dans la presse les violences commises par l'armée russe en Tchétchénie, car, disait-elle, « les mots peuvent sauver des vies ». Elle a été assassinée en 2006.

Censure : contrôle exercé par un gouvernement, une autorité, sur la presse.

Des valeurs et des normes qui guident

61

Synthèse

- Les besoins, les croyances, les valeurs et les normes sont des motifs pour faire des choix.

- Les motivations à agir se discutent et se justifient, car elles ont des conséquences sur la société.

- L'être humain s'appuie sur des repères pour formuler un jugement critique.

- Les repères peuvent être d'ordre moral, religieux, scientifique, littéraire, artistique, économique, juridique, etc.

- Les repères servent à appuyer, à justifier des choix et aident ainsi à poser des jugements éclairés.

- Un jugement est une façon de voir des choses, des comportements, des situations ou des idées.

- Interroger nos jugements nous aide à développer notre autonomie.

- La présence des autres peut entraîner des tensions relatives à la quête de liberté.

- L'adolescence est la période de la vie où on prend conscience de la possibilité de mener sa vie à sa guise.

- Les relations interpersonnelles sont bénéfiques quand les personnes se sentent libres d'être vraies, d'être authentiques.

- Une relation interpersonnelle bénéfique s'appuie sur l'engagement mutuel des parties.

- Être libre en société, c'est accepter d'être responsable de ses actes, de répondre de ses choix et d'être fidèle à ses engagements.

- Le droit à la vie privée protège contre l'intrusion dans l'intimité, l'atteinte à la réputation et le vol d'identité.

- Par ses valeurs et ses normes, sa culture et ses divers repères, la société impose aux individus certains comportements.

- Le conformisme social sert à harmoniser des groupes selon des valeurs et des idéaux communs.

- Pour développer son autonomie, une personne doit réfléchir au bien-fondé des règles en usage dans sa société.

- Les lois assurent un minimum d'harmonie entre les individus.

- Les droits sont toujours reconnus par des lois et engagent à des devoirs.

- Agir de façon responsable peut amener une personne à la désobéissance civile.

- Le recours à l'objection de conscience prend souvent la forme du refus de remplir des obligations militaires.

- La liberté d'expression et la liberté de presse sont essentielles dans une démocratie.

1. Pourquoi est-ce nécessaire de discuter des motivations des individus?

2. Pouvez-vous nommer deux repères? En quoi est-ce que ce sont des repères?

3. Qu'est-ce que la règle d'or?

4. Pouvez-vous expliquer la tension provoquée par la quête de la liberté?

5. Est-il important de protéger la vie privée? Pourquoi?

6. Quelles sont les libertés protégées par la Charte canadienne des droits et libertés?

7. Pouvez-vous nommer deux obligations envers les autres, dans une relation d'amitié?

8. Quels sont les deux types de dissension sociale?

9. En vos mots, qu'est-ce que la liberté?

10. Vous considérez-vous comme libre? Justifiez votre réponse.

11. À quel type de dissension sociale associe-t-on le refus du service militaire?

12. En vos mots, qu'est-ce que la déontologie?

13. Comment la société valorise-t-elle ou décourage-t-elle certains comportements?

14. Pourquoi interrogeons-nous nos jugements?

15. Pourquoi la liberté d'expression et la liberté de presse sont-elles importantes?

16. Dans quels cas la censure peut-elle être positive?

17. L'expression de la liberté de conscience se fait-elle dans la violence?

18. Qu'est-ce que le serment d'Hippocrate?

19. Qu'ont fait des femmes de l'Allemagne nazie en 1943?

23. Quels sont les deux repères juridiques incontournables dans les sociétés canadienne et québécoise?

24. En quoi la Déclaration des droits de l'homme et du citoyen est-elle importante pour la société québécoise?

La réflexion éthique

La réflexion éthique

CHAPITRE **3**

Des valeurs et des normes qui inspirent

Les événements de la vie courante façonnent-ils nos attitudes, nos comportements et nos façons de concevoir des choses ? Quels sont ces événements et à quel point sont-ils porteurs de sens pour notre personne ? Quelle société voulons-nous ?

LIENS

- **CULTURE RELIGIEUSE**
  - Des influences religieuses sur les valeurs et sur les normes
  - Des devoirs sociaux et religieux
  - Des codes moraux

- **DIALOGUE**
  - Les formes du dialogue : la conversation
  - Des entraves au dialogue : le complot, l'appel aux préjugés et la pente fatale
  - Des moyens pour élaborer un point de vue : la comparaison

3.1 Des situations qui font évoluer

Quels sont les événements qui nous font réfléchir et agir ? Pourquoi nous font-ils réfléchir ? Comment nous transforment-ils ? En quoi réfléchir nous aide-t-il à mieux nous adapter aux nouvelles situations ?

Doc. 3.1 Certains événements nous font réfléchir.

DES ÉVÉNEMENTS QUI TRANSFORMENT

Les événements que nous vivons affectent nos vies. Certains d'entre eux nous marquent, nous incitent à réfléchir ou à remettre en question nos comportements. Ils influencent nos valeurs et nos normes et nous font évoluer.

Des événements qui font réfléchir et agir

Il y a des situations qui nous amènent à réfléchir. Le mot réfléchir signifie examiner quelque chose avec attention. Revenir sur la signification des événements nous donne des outils pour mieux faire face aux situations semblables qui se présenteront dans l'avenir. Réfléchir nous permet donc d'avancer. Par exemple, après une défaite de son équipe de soccer, Medhi revoit la partie dans sa tête. En réfléchissant, il constate que son équipe aurait dû mieux planifier son offensive. Il suggère donc à son entraîneur d'appliquer une stratégie plus offensive lors de la prochaine partie.

Certains événements ont des répercussions sur notre identité en tant que personne ou en tant que collectivité. Ils modifient ou confirment nos normes et nos valeurs. Ils nous amènent aussi parfois à nous questionner : Pourquoi agissons-nous de telle manière ? Pourquoi nous conduisons-nous ainsi ?

Romy est né en Haïti. Son immigration au Québec, il y a cinq ans, a marqué un tournant dans sa vie. Depuis, son identité s'est modifiée : il a changé de nationalité et son accent s'est transformé. Son identité familiale a aussi été influencée : ses liens familiaux sont plus serrés qu'auparavant. En réfléchissant, Romy constate à quel point l'immigration a contribué à faire de lui la personne qu'il est aujourd'hui.

Doc. 3.2
L'immigration peut, par exemple, être source de questionnement et de réflexion sur l'identité pour la personne qui la vit.

Des remises en question sur le plan social

Certains événements exercent une grande influence sur la société et amènent ses membres à se remettre en question. Ils font surgir un doute, un malaise ou une insécurité. Les citoyens et les autorités réagissent en modifiant leurs valeurs et leurs normes lorsque celles-ci ne conviennent plus à une situation ou à une nouvelle réalité. Ces remises en question modifient nos attitudes, nos comportements et nos façons de concevoir les choses sur le plan social.

À titre d'exemple, en 2006, lorsqu'un bébé s'est noyé dans une piscine gonflable, les autorités des municipalités du Québec ont réévalué les règlements portant sur les piscines privées. Elles ont ensuite changé les consignes pour mieux assurer la sécurité des baigneurs.

Un phénomène perpétuel

Ces remises en question sont perpétuelles. En faisant la promotion de valeurs particulières et en se donnant de nouvelles normes, les membres d'une société peuvent amener celle-ci à les adopter de manière à atteindre certains objectifs précis. Si les résultats attendus ne sont pas obtenus après un certain temps, les membres de la société proposent de nouvelles attitudes, de nouveaux comportements et de nouvelles façons de voir les choses.

Par exemple, les Québécois sont de plus en plus conscients de l'ampleur des changements climatiques. Au cours des dernières années, plusieurs d'entre eux ont fait des gestes afin de sensibiliser davantage les pouvoirs publics à cet enjeu. Le gouvernement a entendu cet appel et aujourd'hui, l'environnement occupe une plus grande place dans la gestion du pays.

Des expériences de vie qui marquent

Parfois, nos propres expériences de vie nous amènent à revoir nos attitudes, nos comportements et nos façons de concevoir les choses. Ces transformations peuvent être le résultat d'événements dits naturels, c'est-à-dire ceux que nous vivons tous un jour ou l'autre. Le passage de l'enfance à l'adolescence est un événement naturel qui modifie nos valeurs et nos normes. Au stade de l'adolescence, notre corps et notre pensée subissent des transformations. Nous ressentons aussi le besoin de bâtir une relation d'intimité avec quelqu'un d'autre et cherchons à nous détacher de notre environnement familial.

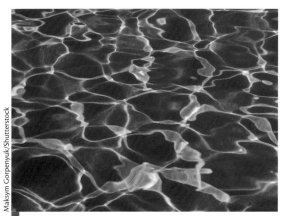

Doc. 3.3 Une noyade est un exemple d'événement qui peut amener un changement des normes de sécurité.

POUR EN SAVOIR +

Le réchauffement climatique

Le réchauffement climatique se manifeste par une augmentation de la température des océans et de l'atmosphère. Pour les scientifiques, ce phénomène est dû à l'activité humaine, notamment l'usage des automobiles qui rejettent des gaz à effet de serre.

Doc. 3.4 Le réchauffement climatique remet certaines pratiques en question.

De nombreux environnementalistes luttent contre cet effet, notamment en faisant la promotion du transport en commun. De leur côté, les fabricants d'automobiles ont entrepris de concevoir des modèles moins polluants et qui consomment moins de carburant.

Doc. 3.5 La mort d'un proche peut nous amener à revoir nos valeurs.

Doc. 3.6 Certaines expériences confirment nos valeurs.

Vertige : peur intense d'être en hauteur et de tomber dans le vide.

La mort est aussi un exemple d'événement naturel marquant. Le décès d'un proche crée un énorme vide dans la vie d'une personne et provoque chez elle un état de tristesse. De plus, la mort est une preuve irréfutable que l'être humain n'est pas invincible. La prise de conscience de cette vulnérabilité amène les individus à reconnaître la santé comme valeur importante.

Des expériences de vie accidentelles ou circonstancielles peuvent aussi nous amener à réévaluer nos attitudes, nos comportements et nos façons de concevoir les choses. Elles affectent les personnes à divers degrés. Par exemple, subir une blessure lors d'un accident d'automobile peut être une expérience très marquante pour une personne, ce qui l'amènerait à revoir sa vision du monde. Pour quelqu'un d'autre, le même accident ne serait perçu que comme une mauvaise expérience.

Réfléchir sur les expériences de vie nous permet de constater que les valeurs et la vision du monde diffèrent d'une personne à l'autre.

Un moyen de réflexion

Les expériences que nous vivons peuvent nous amener à réfléchir sur nos valeurs. Prenons le cas de Jérémie : au centre commercial, il s'aperçoit qu'il a perdu son portefeuille. Une dame, le voyant dans cette fâcheuse situation, lui donne un billet d'autobus. En rentrant chez lui, Jérémie réfléchit. Il constate que l'entraide est une valeur importante. Il se dit qu'à un autre moment, ce sera à son tour d'aider quelqu'un dans le besoin.

Nos expériences nous donnent aussi l'occasion de réfléchir sur nos capacités et nos limites. En connaissant mieux nos forces et nos faiblesses, nous devenons plus aptes à faire les choix qui nous conviennent le mieux. Par exemple, quand il regarde par la fenêtre du 42e étage d'un édifice, Hugo se sent bien, tandis que son amie Jade est terrifiée. Hugo découvre alors que contrairement à Jade, il n'a pas le **vertige**. Cette constatation le réjouit et l'encourage à réaliser un de ses rêves : devenir un jour pompier.

Doc. 3.7 Nos expériences de vie nous permettent d'évaluer nos capacités et nos limites.

Des relations humaines

Nos relations avec les autres dictent également en partie nos attitudes, nos comportements et nos façons de concevoir des choses. Il arrive que le simple fait de rencontrer une personne change notre vie. Par exemple, vous pourriez faire la connaissance d'un professeur qui vous sensibilise à l'importance de l'ouverture aux autres. Cette rencontre pourrait transformer vos relations en rendant votre esprit plus ouvert. La situation inverse pourrait aussi arriver. Vous pourriez rencontrer une personne particulièrement étroite d'esprit et être incité à avoir un esprit moins ouvert. Les relations humaines nous mettent en présence de différentes valeurs qui nous influencent.

Des freins aux relations humaines

En société, les relations humaines sont primordiales. Elles permettent de bâtir des amitiés, de découvrir l'amour ou de fonder une famille. Il n'est pas toujours facile d'entrer en contact avec les autres. Certaines personnes n'osent pas parler aux autres parce qu'elles sont timides ou parce qu'elles ont peur de l'inconnu ou de la différence.

Le seul moyen de vaincre ces barrières est de cultiver des relations humaines. C'est en faisant l'effort d'engager le dialogue avec d'autres personnes que nos aptitudes sur le plan **relationnel** se développent. Il devient par la suite plus facile d'aborder les gens et de découvrir de nouvelles visions du monde.

Doc. 3.8 Les relations que nous avons avec les autres nous influencent.

Relationnel : qui concerne les relations humaines.

Doc. 3.9 Le dialogue est fondamental dans les relations humaines.

Un peu d'histoire

Antiquité : période historique qui suit la Préhistoire et qui s'achève vers 476 après Jésus-Christ.

Émancipation : action de se libérer.

Doc. 3.10 Ce monument érigé à la mémoire de Nicolas Copernic est situé devant le Planétarium de Montréal. C'est une copie d'un bronze du sculpteur danois Bertel Thorvaldsen (1770-1844) dont l'original se trouve à Varsovie, en Pologne.

DES REMISES EN QUESTION QUI ONT BOULEVERSÉ LA SOCIÉTÉ

L'histoire de l'humanité a été marquée par de grands bouleversements qui ont amené la société entière à se remettre en question et à revoir sa façon de penser, d'être et d'agir. Voici quelques événements qui ont entraîné une évolution des conceptions et des valeurs de l'humanité.

La révolution copernicienne au XVIᵉ siècle

Pendant plusieurs siècles, la société a épousé les théories d'Aristote (-384 à -322) et de Ptolémée (90-168), deux savants grecs de l'**Antiquité**. Ils considéraient que la Terre était le centre de l'Univers et que tout tournait autour d'elle. On appelait cette théorie le géocentrisme. Au XVIᵉ siècle, l'astronome et médecin polonais Nicolas Copernic (1473-1543) élabore une tout autre théorie : l'héliocentrisme. Selon Copernic, la Terre tourne autour du Soleil, astre situé au centre de l'Univers. Cette théorie provoque un profond malaise dans la société parce qu'elle est en contradiction avec un enseignement biblique. Pour cette raison, elle est condamnée par l'Église catholique, alors très influente. Les savants qui défendent Copernic subissent de lourdes sanctions. Il faudra attendre encore plusieurs siècles pour que tous reconnaissent les idées de Copernic.

La révolution sexuelle des années 1960 et 1970

En Occident, la révolution sexuelle s'est produite dans les années 1960 et 1970 grâce, entre autres, à l'**émancipation** des femmes et au développement des moyens de contraception. Elle a permis aux femmes d'obtenir le droit à l'avortement, aux homosexuels de s'affirmer sur la place publique et aux citoyens de discuter librement de la sexualité sans être réprimandés. Cette révolution a aussi mis un terme à la censure de la sexualité dans la littérature et au cinéma.

Les attentats du World Trade Center en 2001

Le 11 septembre 2001, les États-Unis sont victimes d'attentats alors que quatre avions sont détournés par des terroristes. Deux de ces avions percutent les deux tours du World Trade Center à New York. Cette attaque fait plus de 2000 victimes. À la suite de ce tragique événement, le gouvernement étasunien réévalue les mesures de sécurité et les renforce de façon significative. Il investit aussi massivement dans la lutte antiterroriste et resserre ses frontières.

Doc. 3.11 Les tours du World Trade Center avant leur effondrement en 2001.

3.2 Autonomie et dépendance

Pourquoi les visions du monde diffèrent-elles d'un individu à un autre ?
Qu'est-ce qui façonne une vision du monde ? Comment notre vision
du monde peut-elle moduler notre autonomie ?

UNE VISION DU MONDE, UNE PERSONNE

Tout peut être interprété d'une personne à l'autre, de manière différente. Par exemple, une tape dans le dos pourrait être interprétée comme un geste amical, menaçant ou encore grossier.

Construire sa vision du monde

La vision du monde est une composante de l'identité individuelle. Elle se crée à partir de nos expériences de vie et à partir de plusieurs repères. Parmi eux, il y a les valeurs et les normes de notre société, les événements marquants de notre vie ou la culture nationale.

Les valeurs et les normes façonnent notre vision du monde. Elles nous font voir le monde d'une certaine manière. Par exemple, les gens pour qui la paix est une valeur fondamentale sont très sensibles à la violence à la télévision. Leur vision du monde est donc influencée par cette valeur. Pour d'autres personnes, la violence à la télévision ne constitue pas un problème.

Le regard que nous portons sur le monde est également modelé par notre passé. Un jeune qui a été gravement malade pendant son enfance porte un regard différent sur les choses.
Il peut par exemple ressentir le besoin de mordre dans la vie et de se rapprocher de ses amis. Son vécu lui fait donc voir le monde différemment.

Notre vision du monde dépend aussi de notre culture. Cette vision sera différente chez les Québécois, les Français ou les Chinois, car les façons de faire et les conditions de vie changent d'un pays à l'autre. La signification des mots varie également selon les régions du globe. Nos mots et nos expressions font partie de notre culture. Ils influencent donc aussi notre vision du monde.

Doc. 3.12 Une vision du monde est propre à chaque personne.

Ce qui influence notre vision du monde

Notre vision du monde se transforme au cours de notre vie parce que nous fréquentons des personnes qui ont elles-mêmes leur propre vision. Nous subissons donc diverses influences, par exemple celles de notre famille, de nos groupes d'appartenance ou encore des médias. Nos parents et nos amis nous transmettent des valeurs telles que l'amour et le respect. Les médias, de leur côté, traitent de certaines réalités sociales. Par exemple, des reportages sur les gens défavorisés de sa ville font découvrir à Layla que la misère n'existe pas seulement ailleurs dans le monde. Elle organise donc un projet pour venir en aide à ses concitoyens moins fortunés. Ce qu'elle a vu dans les médias a influencé sa vision du monde, ce qui l'a amenée à agir.

NOTRE VISION DU MONDE : UN OUTIL VERS L'AUTONOMIE

Notre vision du monde structure notre autonomie, car nous nous appuyons sur différents repères pour juger des situations et prendre des décisions. Elle module aussi notre autonomie parce qu'elle nous permet de retracer nos origines et de nous en servir comme référence dans la recherche de notre identité. C'est notamment en sachant d'où nous venons que nous pouvons nous affirmer et avancer dans la vie. C'est aussi à travers notre vision du monde que nous découvrons quels sont nos goûts, nos buts et nos motivations.

Le passage de la dépendance à l'autonomie

Personne ne naît autonome. À la naissance, un bébé ignore tout du monde qui l'entoure : ses règles, sa langue ou tout autre aspect. Il ne peut ni parler, ni marcher. Il lui est donc impossible de faire des choix par lui-même. À mesure qu'il grandira, il deviendra de plus en plus autonome en acquérant des connaissances sur le monde et en développant ses capacités physiques et intellectuelles.

L'autonomie n'est pas éternelle. En vieillissant, l'être humain voit graduellement diminuer ses aptitudes physiques et intellectuelles. La maladie peut aussi affecter l'autonomie d'une personne. Les gens qui souffrent de la maladie d'Alzheimer en viennent à perdre définitivement certaines capacités essentielles à l'exercice de l'autonomie, notamment le langage, la mémoire et le jugement.

Doc. 3.15 Les médias influencent notre vision du monde.

Doc. 3.16 À la naissance, les bébés sont complètement dépendants de leurs parents.

Les conditions de l'autonomie

Il y a quatre conditions à respecter pour exercer son autonomie. Une personne vraiment autonome doit utiliser son jugement critique, faire preuve de bon sens, être authentique et assumer la responsabilité de ses actes.

Le jugement critique

Pour porter un bon jugement sur une personne ou une situation, il faut prendre en compte certains critères. Nous devons d'abord nous informer sur la personne ou sur la situation en question afin de ne pas juger au premier coup d'œil. Nous devons ensuite fonder notre jugement sur des arguments valables.

Une personne qui manque de jugement critique peut se retrouver en situation de dépendance face aux autres. Parce qu'elle n'est pas en mesure de juger par elle-même, elle se fie totalement aux idées des autres.

Doc. 3.17 Le jugement critique exige de la recherche.

Scepticisme : état d'esprit qui amène une personne à douter de quelque chose.

Le bon sens

Le bon sens, c'est la capacité de porter un jugement réfléchi ou de prendre une décision dans les circonstances ordinaires de la vie. Le bon sens exige de la souplesse et un certain degré de **scepticisme**. Un enseignant fait preuve de bon sens lorsqu'il impose une sanction à un élève qui affirme ne pas pouvoir remettre son devoir parce que son chien l'a dévoré. L'enseignant fait preuve de scepticisme et de bon sens.

L'authenticité

Être authentique signifie être soi-même et s'assumer en tant que tel. Une personne authentique n'hésite pas à défendre et à afficher en public ses opinions, ses choix, ses valeurs et ses normes. Cela dit, dans certaines situations, on peut garder quelques réserves sans toutefois renoncer à son authenticité. On peut se montrer prudent dans l'expression de nos opinions personnelles lorsqu'une situation nous semble délicate, par exemple. Par contre, quelqu'un qui cache ses valeurs pour se faire accepter par ses amis n'est pas authentique.

Il n'est pas toujours facile d'être authentique, surtout dans les relations d'amitié. À certaines occasions, il nous arrive de cacher nos valeurs, nos opinions ou nos règles de conduite pour éviter des conflits. Vous est-il déjà arrivé de ne pas révéler votre véritable opinion par crainte d'engendrer un désaccord ?

Doc. 3.18 Le bon sens permet de prendre les bonnes décisions.

La responsabilité morale

Chaque personne autonome doit assumer la responsabilité de ses actes et en accepter les conséquences. S'il commet un geste qui entraîne des conséquences négatives, un individu ne peut se libérer de toute peine en affirmant que ce n'était pas son idée.

Certaines personnes tentent de faire porter aux autres le poids de leurs erreurs. La mise en scène suivante l'illustre bien. Après s'être absentée de l'école une journée, Jackie s'attend à ce que son ami Damien l'appelle pour l'informer du devoir à remettre le lendemain. Le jour suivant, Jackie dit à son professeur qu'elle n'a pas pu faire son devoir parce que Damien ne lui a pas téléphoné. En rejetant la faute sur Damien, Jackie n'assume pas la responsabilité de son geste. D'après vous, comment Jackie aurait-elle pu agir pour être responsable et autonome ?

L'exercice de l'autonomie

L'exercice de l'autonomie peut parfois créer des tensions entre un individu et son entourage. Par exemple, à l'adolescence, un jeune pourrait exercer son autonomie en choisissant sa tenue vestimentaire. Si cette tenue est n'est pas conforme avec les valeurs auxquelles ses parents adhèrent, des tensions pourraient surgir.

L'autonomie et la dépendance d'un individu face à son entourage peuvent donc être sources de tensions. Cela est dû au fait qu'il existe plusieurs manières, pour les individus et les groupes, d'exprimer leur autonomie et leur dépendance.

L'interdépendance

L'interdépendance n'est pas toujours négative. On ne peut pas exercer son autonomie en tout temps, car il y a des contextes ou des situations où on est interdépendant. Prenons le cas d'une troupe de danse. Parce qu'ils font une chorégraphie ensemble, les membres de la troupe dépendent les uns des autres. Ils sont interdépendants. Si un des danseurs tente de trop se démarquer, il peut mettre la troupe en situation de déséquilibre.

© Dimitrije Paunovic/Shutterstock

Doc. 3.19 Nous portons la responsabilité de nos actes.

Doc. 3.20
L'interdépendance n'est pas toujours négative.

© Sylwia Nowik/Shutterstock

DIVERSES EXPRESSIONS DE L'AUTONOMIE ET DE LA DÉPENDANCE

Nous allons explorer ici diverses expressions de l'autonomie et de la dépendance des individus et des collectivités. Nous verrons que tout n'est pas noir ou blanc et que dans chaque situation, un questionnement éthique s'impose. Ce questionnement doit être fondé sur des repères, notamment sur les valeurs et les normes.

Des expressions individuelles

Les individus peuvent manifester leur autonomie et leur dépendance de différentes manières. La frontière entre les deux est parfois mince. Par exemple, Michael ressent le besoin de s'émanciper de sa famille. Il est suffisamment autonome pour vivre sans être sans cesse sous l'autorité de ses parents. Pourtant, sans s'en rendre compte, il devient dépendant de ses amis. Cette situation peut donner lieu à plusieurs interprétations en fonction des repères de chaque personne. Certains croiront que Michael est autonome parce qu'il se détache de ses parents. D'autres penseront plutôt qu'il est dépendant parce qu'il ne peut prendre ses décisions sans avoir consulté ses amis.

Des expressions collectives

Parfois, des groupes font des gestes concrets afin de bousculer les autres membres de la société et de les inciter à remettre en question leurs attitudes, leurs comportements ou leurs façons de concevoir les choses. Ces gestes peuvent être interprétés de différentes manières en fonction de nos repères.

Prenons un cas concret. Un groupe de résidents de votre quartier organise une collecte afin d'aider des familles dans le besoin. Vous pourriez décider d'y participer parce que vos valeurs vous portent à croire que vous contribuerez à sortir ces gens de la dépendance envers les autres. Vous pourriez au contraire décider de ne pas participer parce que selon vos valeurs, ce geste contribuerait plutôt à entretenir la dépendance de ces familles envers les autres. Qu'en pensez-vous ?

■ **Doc. 3.21** La frontière entre l'autonomie et la dépendance est souvent mince.

■ **Doc. 3.22** L'expression de l'autonomie soulève des questions éthiques.

3.3 Agir sur le monde

*De quel monde voulons-nous ? Est-il possible de faire des choix
pour changer notre monde ? Pouvons-nous réellement faire
une différence ? Comment pouvons-nous atteindre nos objectifs ?*

Un peu d'histoire

LE MARATHON DE L'ESPOIR DE TERRY FOX

À l'âge de 18 ans, Terry Fox (1958-1981) subit une amputation de la jambe droite parce qu'il est atteint d'un cancer des os. Malgré son handicap, il conçoit le projet du marathon de l'espoir. Son objectif: traverser le Canada d'un océan à l'autre à la course afin d'amasser des fonds pour la recherche contre le cancer. Le 1er septembre 1980, après avoir parcouru 5373 kilomètres, Terry Fox doit abandonner son projet parce que le cancer est réapparu dans ses poumons. Avant de mourir, 10 mois plus tard, il apprend que son rêve s'est concrétisé: les Canadiens ont donné plus de 24 millions de dollars à sa cause.

Doc. 3.23 Terry Fox courant pendant son marathon de l'espoir, en août 1980.

LE POUVOIR DE CHOISIR

Chaque individu a la capacité de faire des choix et d'agir pour améliorer le vivre-ensemble. La liberté et l'autonomie nous permettent de faire des choix et nous donnent accès aux outils nécessaires pour les concrétiser.

Le désir: une nécessité pour pouvoir agir

Pour exercer notre pouvoir de choisir, il faut avoir envie d'agir. Il n'est pas toujours facile de faire les bons choix et d'accomplir les gestes qui auront un impact positif sur notre environnement ou notre situation. Pour agir, nous devons avoir un réel désir de relever des défis et de faire une différence. Par exemple, ce ne sont pas tous les élèves qui veulent se présenter à la présidence de leur classe afin d'améliorer les conditions à leur école. Certains tiennent trop à leurs loisirs pour le faire, d'autres n'en voient pas l'intérêt. Seuls ceux qui ont un réel désir d'agir le font.

D'autre part, il ne faut pas oublier que tous nos gestes peuvent contribuer à faire une différence, les petits comme les grands. Souvent, oser poser un petit geste suffit pour entraîner d'autres actions positives.

C'est grâce à notre pouvoir de choisir et à notre capacité d'agir que nous sommes en mesure de relever les défis posés par nos quêtes de bonheur et de justice, ainsi que par la vie en société.

DES QUÊTES DE BONHEUR

Le bonheur est un état d'esprit dans lequel l'individu se sent comblé. Il constitue une de nos principales motivations : notre quête du bonheur guide nos gestes, nos intentions, nos occupations, nos préoccupations et nos fréquentations. Chaque personne possède sa conception du bonheur. De plus, cela ne se résume pas uniquement à avoir du plaisir dans la vie. Le bonheur sous-entend aussi qu'une personne se sent à la bonne place au bon moment. Par exemple, pour Rébecca, le bonheur c'est de passer du temps avec ses parents. Entourée de sa famille, elle se sent bien. Elle ne voudrait être nulle part ailleurs.

Parce que le bonheur est propre à chacun, les sources où le trouver sont très variées. Dans le monde d'aujourd'hui, amitié, amour et **réussite sociale** sont des sources très puissantes de bonheur. Elles sont donc très convoitées par bien des gens. Plusieurs personnes prétendent d'ailleurs que le bonheur est le résultat d'un équilibre entre ces trois éléments.

Le bonheur par l'autonomie ou la dépendance ?

Les quêtes de bonheur peuvent nous amener à être plus autonomes ou plus dépendants. Prenons le cas d'une personne pour qui le bonheur passe par des sensations fortes. Parce qu'elle prend les moyens pour vivre des moments intenses en pratiquant des sports extrêmes, cette personne pourrait penser qu'elle est autonome dans sa quête de bonheur. D'autres diront plutôt qu'elle est dépendante parce qu'elle a besoin des sensations fortes pour être heureuse.

Doc. 3.24 La conception du bonheur est propre à chaque personne, mais peut aussi être partagée.

Réussite sociale : succès d'une personne dans ses relations avec les autres.

Doc. 3.25 Le bonheur de certaines personnes passe par des sensations fortes.

Doc. 3.26 La justice repose sur l'égalité.

© Jason Stitt/Shutterstock

Doc. 3.27 En tant qu'individu, nous avons le choix d'agir de manière juste ou injuste.

© abdone/Shutterstock

DES QUÊTES DE JUSTICE

La justice est une autre des quêtes que l'individu poursuit. Obtenir justice signifie que les droits et le mérite de chacun sont reconnus et respectés. À l'inverse, on considérera comme injuste une situation où une personne est privée de son droit de parole.

Les principes de la justice

Trois grands principes assurent la justice : l'égalité, l'équité et le respect de la personne. L'égalité fait en sorte que la loi doit être la même pour tous. L'équité, quant à elle, assure qu'on offre à chacun ce qui lui est dû. Finalement, le respect de la personne nous oblige à tenir compte de la dignité des autres dans nos actions et nos jugements.

L'égalité, l'équité et le respect de la personne sont incompatibles avec certains comportements, notamment les attitudes racistes ou discriminatoires. Il serait en effet injuste d'accorder ou de retirer certains privilèges à une personne en raison de la couleur de sa peau ou d'un handicap.

La lutte à l'injustice

La justice exige que tous soient traités de manière égale. Mais peut-on agir face à une situation injuste ? Peut-on réellement lutter contre l'injustice ? La réponse est oui. Cela dit, la quête de justice doit se faire en tenant compte de l'ordre social et des valeurs des individus et des groupes. À titre d'exemple, un jeune qui se fait voler sa casquette ne peut se faire justice en volant à son tour la casquette d'une autre personne. Selon vous, que peut-il faire ?

DES DÉFIS À RELEVER

Tout le monde n'est pas égal quant aux chances de bonheur. Il y a des maux qui empêchent des gens d'être heureux. Il y a aussi des menaces qui mettent en péril la survie de certains individus. Nous pouvons être touchés directement par ces problèmes ou en être épargnés. Dans les deux cas, il est possible d'agir en fonction de nos valeurs et de nos normes. Nous verrons, à l'aide de trois cas concrets, que chaque défi peut être envisagé de plusieurs manières.

Des questions sociales

Les questions sociales concernent le bien-être des personnes qui forment un groupe ou une société. Prenons le cas de l'alimentation. Certaines personnes, pour qui la santé est une valeur fondamentale, pensent que les restaurants ne devraient pas servir de malbouffe. D'autres, qui privilégient la liberté, croient que chaque personne devrait avoir le droit de choisir d'en consommer ou non.

Des questions humanitaires

Les questions humanitaires se rapportent au bien-être de l'humanité. Examinons le cas du travail des enfants dans des pays du tiers-monde. Cette situation soulève de nombreuses questions éthiques. Par exemple, comment se fait-il que dans certains pays, des familles doivent faire travailler des enfants pour survivre ? Quelles sont les causes de cette situation ?

Des questions environnementales

Les questions environnementales traitent des conditions de vie des êtres vivants. Il existe plusieurs façons d'envisager ce type de défi. Par exemple, certains individus affirment qu'il est primordial de respecter l'environnement. Ils tentent donc, par exemple, de réduire leur consommation d'eau et d'électricité afin de préserver les ressources pour l'avenir. Pour d'autres, c'est plutôt leur intérêt à plus court terme qui les oriente dans leurs choix. Ils mettent alors au second plan dans leur vie la protection de l'environnement.

Nous avons vu par ces trois exemples que les défis à relever posent des questions éthiques. Et vous, qu'en pensez-vous ?

© John Bailey/Shutterstock

Doc. 3.28 L'alimentation est une question sociale.

Doc. 3.29
Les questions environnementales soulèvent des enjeux éthiques.
© Amanda Flagg/Shutterstock

Culture et société
Des gens d'ici qui contribuent à l'évolution de la société

Comme nous l'avons vu précédemment, il est possible de changer les choses et de faire évoluer la société. Plusieurs personnes au Québec et au Canada ont pris conscience des défis à relever dans divers domaines et ont décidé d'agir. Elles font des gestes qui contribuent à améliorer la situation ou le sort d'autres personnes. Voici quelques-unes de leurs réalisations.

Doc. 3.30
Daniel Germain, président-fondateur du Club des petits déjeuners du Québec.

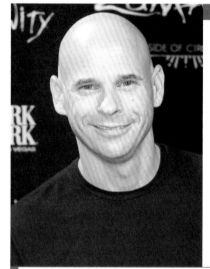

Doc. 3.31
Guy Laliberté, fondateur de *One Drop* et du Cirque du Soleil.

▌ Fondation du Club des petits déjeuners en 1994 par Daniel Germain (1964-   )

C'est au cours d'un voyage humanitaire au Mexique que Daniel Germain a pris conscience de la misère des enfants qui souffrent de la famine. Ce voyage a changé sa vision du monde. Il a par la suite participé à de nombreuses autres missions humanitaires dans les pays défavorisés. De retour au Québec, il a constaté que certains enfants d'ici souffrent aussi de problèmes liés à la nutrition. Cela l'a amené à fonder, en 1994, le Club des petits déjeuners du Québec. Cette organisation met tout en œuvre afin que chaque enfant reçoive deux éléments essentiels pour apprendre : un petit déjeuner nutritif et un climat nourrissant pour l'esprit.

© Marie-Reine Mattera

▌ Mise sur pied de la fondation *One Drop* en 2007 par Guy Laliberté (1959-   )

Guy Laliberté est le fondateur du Cirque du Soleil. En voyageant partout dans le monde, il prend conscience d'un grave problème humanitaire : près de 50 % de la population mondiale n'a pas accès à de l'eau potable. Il décide donc d'agir en créant la fondation *One Drop*. Cette organisation poursuit deux principaux objectifs : sensibiliser le public aux enjeux liés à l'eau comme le gaspillage et la pollution, et soutenir des projets pour faciliter l'accès à de l'eau potable dans les pays défavorisés.

DWF15-433131| RM| © Ethan Miller/Reuters/Corbis

Doc. 3.32 Sheila Watt-Cloutier, porte-parole des Inuits en matière environnementale.

Doc. 3.33 L'infirmière Zoé Brabant participe à de nombreuses missions humanitaires.

Protection de l'Arctique par Sheila Watt-Cloutier (1953-   )

Sheila Watt-Cloutier est une Inuite née dans le Grand Nord québécois. Elle a consacré sa vie à défendre les populations autochtones du Canada, de l'Alaska, du Groenland et de la Russie. Au cours des années 1990, Sheila Watt-Cloutier a, entre autres, dirigé une association pour convaincre les autorités d'interdire la production et l'utilisation de polluants qui ont des effets néfastes sur l'Arctique. En 2001, un accord à ce sujet a été signé avec plusieurs partenaires à Stockholm en Suède. Ces dernières années, Sheila Watt-Cloutier s'est attaquée aux questions du réchauffement climatique et des effets néfastes des gaz à effets de serre sur son peuple.

© André Pichette / La Presse

Les missions humanitaires de Zoé Brabant (1974-   )

Zoé Brabant a toujours su qu'elle était destinée à se rendre utile et à découvrir le monde. En 1993, elle participe à une expérience de coopération internationale au Nicaragua. Elle décide par la suite de devenir infirmière. En 2003, après quelques années de service auprès des Inuits dans le Grand Nord québécois, Zoé Brabant s'associe avec l'organisme Médecins du Monde-Canada pour une mission humanitaire de plusieurs mois en Afghanistan. Peu de temps après son retour au Québec, Zoé Brabant s'envole à nouveau pour une autre mission d'aide humanitaire qui la conduira en Iran.

© André Pichette / La Presse

Ici et ailleurs
Des gens d'ailleurs qui contribuent à l'évolution de la société

Partout dans le monde, on voit des personnes faire des gestes pour défendre des valeurs, des normes et des causes qui leur tiennent à cœur. Voici les portraits de certaines d'entre elles.

Doc. 3.34 Somaly Mam milite contre l'esclavage sexuel.

© Gianni Giansanti/Sygma/Corbis

La lutte de Somaly Mam (1970-   ) contre l'esclavage sexuel

Somaly Mam a connu une enfance très difficile. Après avoir été battue, torturée et forcée à la prostitution, cette Cambodgienne a plus tard décidé de se porter à la défense des femmes exploitées sexuellement. Avec son conjoint, elle a fondé en 1997 une association aujourd'hui active dans quatre pays d'Asie. En faisant ce geste inspiré de sa propre expérience, Somaly Mam aide des milliers de filles à se sortir des réseaux de prostitution.

Doc. 3.35 Kofi Annan, défenseur de la paix dans le monde.

© Reuters/CORBIS

La défense et la promotion de la paix par Kofi Annan (1938-   )

Kofi Annan a consacré sa vie à la défense et à la promotion de la paix et de la dignité humaine. Il a œuvré pendant plus de 40 ans au sein de l'Organisation des Nations Unies (ONU). Il en a été le secrétaire général de 1997 à 2006. En 2007, il poursuit son idéal en devenant président de la Fondation de soutien de l'Organisation mondiale contre la torture. L'année suivante, il participe aux négociations visant à mettre un terme au conflit armé faisant rage au Kenya. L'engagement pour la paix de Kofi Annan a été souligné à plusieurs reprises, notamment en 2001 alors qu'on lui a décerné le prix Nobel de la paix.

Doc. 3.36 Angélique Kidjo, ambassadrice de l'Unicef.

© Scott McDermott/Corbis

La défense des droits des enfants par Angélique Kidjo (1960-   )

Angélique Kidjo, une chanteuse africaine de réputation internationale, est ambassadrice de l'Unicef depuis 2002. Par sa musique, elle tente de sensibiliser les gens à divers problèmes : la pauvreté, le racisme et la préservation de l'environnement. Cependant, la cause qui lui tient le plus à cœur est celle de l'éducation des enfants d'Afrique. Pour Angélique Kidjo, l'éducation des jeunes Africains est primordiale : c'est l'espoir de ce continent.

Doc. 3.37 Al Gore milite contre le réchauffement climatique.

© Franck Robichon/epa/Corbis

La lutte d'Al Gore (1948-   ) contre le réchauffement climatique

L'Américain Al Gore s'est d'abord illustré sur la scène politique de son pays en étant vice-président des États-Unis de 1993 à 2000. Il mène maintenant une lutte contre le réchauffement climatique. Al Gore cherche à sensibiliser la population à l'importance de cette question. À cette fin, il a participé à la réalisation d'un film sur le sujet, lequel a remporté l'Oscar du meilleur documentaire en 2007. La même année, il recevait le prix Nobel de la paix pour son dévouement à cette cause environnementale.

Doc. 3.38 Le boxeur Mohamed Ali lutte contre les problèmes sociaux.

© William Coupon/CORBIS

Le combat de Mohamed Ali (1942-   ) contre les problèmes sociaux

Le boxeur américain Mohamed Ali s'est fait connaître partout dans le monde grâce à ses talents sur le ring. Depuis qu'il a pris sa retraite de la boxe, il s'est attaqué à plusieurs problèmes sociaux. Il a combattu la famine en distribuant de la nourriture à des habitants de pays défavorisés. En 2005, à Louiseville, sa ville natale dans l'état du Kentucky, il a créé le Centre Mohamed Ali. Ce centre a notamment pour but de promouvoir des valeurs comme la paix et le respect. Depuis 1984, Mohamed Ali est atteint de la maladie de Parkinson, une maladie dégénérative qui entraîne une perte considérable de ses capacités physiques. Malgré sa maladie, il poursuit sa lutte pour parvenir à un monde meilleur.

Synthèse

- Des événements font réfléchir, agir et provoquent des remises en question.

- Ces événements viennent modifier ou confirmer les valeurs et les normes individuelles.

- Des événements ont des répercussions sur les attitudes, les comportements et les façons de concevoir les choses des individus sur le plan social.

- Les expériences de vie permettent de réfléchir sur les valeurs.

- En entretenant des relations humaines, les individus découvrent de nouvelles valeurs et normes et s'en inspirent.

- La vision du monde d'une personne s'appuie sur plusieurs repères dont les valeurs, les normes, les événements et la culture nationale.

- La vision du monde d'un individu est influencée par la vision du monde véhiculée par la famille, les médias et des groupes d'appartenance.

- La vision du monde module l'autonomie puisque l'individu s'appuie sur ses propres repères pour définir son identité, ainsi que pour faire des choix.

- L'autonomie s'acquiert et n'est pas éternelle.

- L'exercice de l'autonomie s'appuie sur le jugement critique, le bon sens, l'authenticité et la responsabilité morale.

- L'exercice de l'autonomie peut parfois créer des tensions entre un individu et son entourage.

- L'autonomie et la dépendance soulèvent des questions éthiques.

- La liberté et l'autonomie donnent à l'individu le pouvoir de choisir et d'agir.

- Les quêtes de bonheur peuvent amener une personne à être autonome ou dépendante.

- Les quêtes de justice s'appuient sur trois grands principes : l'égalité, l'équité et le respect de la personne humaine.

- Les défis sociaux, humanitaires et environnementaux peuvent être envisagés de différentes manières selon les valeurs et les normes des individus et des groupes. Dans chaque cas, un questionnement éthique s'impose.

1 Que signifie le mot réfléchir ?

2 Comment un événement peut-il venir confirmer les valeurs et les normes d'un individu ?

3 Quels types d'événements provoquent des remises en question sur le plan social ?

4 Pourquoi ces événements entraînent-ils des remises en question ?

5 Quels événements naturels peuvent modifier les attitudes, les comportements et les façons de voir les choses d'un individu ?

6 Qu'est-ce qu'une expérience de vie dite accidentelle ou circonstancielle ? Donnez deux exemples.

7 Comment les relations humaines peuvent-elles influencer un individu ?

8 Pourquoi chaque personne a-t-elle une vision du monde particulière ?

9 Pourquoi les mots prennent-ils une grande importance dans notre vision du monde ?

10 Comment une vision du monde module-t-elle l'autonomie ?

11 Naît-on autonome ?

12 L'autonomie est-elle éternelle ?

13 Qu'est-ce que le jugement critique ?

14 Qu'est-ce que le bon sens ?

15 L'authenticité peut-elle entraîner des conflits ?

16 Donnez un exemple où une personne assume la responsabilité morale de ses actes.

17 Quels sont les deux aspects qui nous permettent d'exercer le pouvoir de choisir et d'agir ?

18 Nommez trois de sources de bonheur convoitées par l'être humain.

19 Les quêtes de bonheur mènent-elles automatiquement à l'autonomie ?

20 Quelles valeurs sont incompatibles avec les trois principes de la justice ?

21 Peut-on commettre une injustice pour réparer une injustice ?

22 Est-ce que tout le monde voit les questions sociales, humanitaires et environnementales de la même manière ? Pourquoi ?

Culture religieuse

Héritage du passé ou richesse du présent ?

1er CYCLE DU PRIMAIRE

DES CÉLÉBRATIONS EN FAMILLE	• Des fêtes (chapitre 5) • Des rituels de naissance (chapitre 5)
DES RÉCITS MARQUANTS	• Des récits qui ont une grande influence (chapitre 5) • Des récits de personnages importants (chapitre 5)

2e CYCLE DU PRIMAIRE

DES PRATIQUES RELIGIEUSES EN COMMUNAUTÉ	• Des lieux de culte où les pratiques religieuses se déroulent (chapitre 4) • Un temps pour les célébrations (chapitre 5) • Des lieux de culte, des objets et des symboles liés à des pratiques (chapitre 5) • Des écrits liés aux traditions religieuses (chapitre 5) • Des pratiques de prière et de méditation (chapitre 5)
DES EXPRESSIONS DU RELIGIEUX DANS L'ENVIRONNEMENT DU JEUNE	• L'environnement physique (chapitres 4, 6) • Des expressions culturelles (chapitre 6) • Des représentations de l'origine du monde (chapitre 6)

3e CYCLE DU PRIMAIRE

DES VALEURS ET DES NORMES RELIGIEUSES	• Des valeurs et des normes (chapitre 4) • Des personnes modèles et leurs œuvres (chapitre 4) • Des pratiques alimentaires et vestimentaires (chapitre 5)

PRÉLUDE

- Pâques, Noël, Action de Grâce, Pessah, Soukkôth, Id al-Fitr, Hanoukkah, naissance du gourou Nanak, jour de l'An, anniversaire de naissance
- baptême, attribution du nom pour une fille, circoncision, caractéristiques du nom énoncées par le chaman, horoscope de naissance

- des récits reliés à des fêtes religieuses (mages, Maccabées, sacrifice d'Ismaël (Islam)), des récits fondateurs (Noé et le Déluge, le castor qui dérobe le feu, révélation à Muhammad), des repères culturels reliés à des récits qui ont une grande influence (arche de Noé, menorah)
- Annonciation, naissance de Jésus, naissance de Moïse, naissance de Siddhartha Gautame

- la mosquée, le temple, l'église, la synagogue, la pagode, la chapelle, la cathédrale, le temple bouddhique
- la messe, la première communion, le culte du dimanche, les funérailles, le sabbat, la prière du vendredi
- la croix, l'étoile de David, le croissant, la menorah, la calligraphie du nom d'Allah, la roue à huit branches, le kirpan, le khanda

- des noms du divin (Dieu, A-do-naï, Allah, Brahma, Shiva, Vishnou)
- des écrits (la Bible, la Torah, le Coran, le Tripitaka, les Vedas)
- les ablutions, les postures de prières, la contemplation, le chapelet, le tambour, le tapis, le moulin à prières, le *Notre Père*, la lecture de la Bible, Shema Israël, des actions de grâces

- des monuments, des édifices, la toponymie
- des œuvres artistiques, des œuvres communautaires, des événements culturels reliés au religieux
- des symboles et des images représentant l'origine du monde, des récits de l'origine du monde, des repères culturels reliés à des représentations de l'origine du monde

- des paraboles, les deux commandements les plus importants, norme relative à l'amour du prochain, les dix commandements, les cinq piliers de l'islam, le dharma, le caractère sacré de l'individu, l'individu fait la force du groupe
- Vincent de Paul et l'aide aux démunis, Mère Teresa et l'aide aux démunis, Martin Luther King et les droits civils, Henri Dunant et la Croix-Rouge, Gandhi et le Dalaï Lama pour la résistance pacifique et l'indépendance d'un pays, Élie Wiesel et les droits humains
- la symbolique reliée à certaines pratiques alimentaires (jeûne, carême, ramadan, réveillon de Noël), des règles alimentaires (jour maigre et jour gras, lois cachères, végétarisme, le halal), des pratiques vestimentaires, la symbolique et les règles qui y sont reliées (couleur, tenue de baptême, vêtements de deuil, habits d'un pasteur, kippa, turban, voile, tilaka)

Le phénomène religieux

Des noms qui en disent long

Notre environnement est rempli de noms de personnes qui ont marqué notre histoire et notre société. Qui sont-elles ? Qu'ont-elles fait ? Leurs œuvres nous touchent-elles encore aujourd'hui ? D'où nous viennent ces noms de rues, de municipalités, d'institutions ?

LIENS

- **ÉTHIQUE**
  - Des droits : Charte des droits et libertés
  - Des expressions individuelles et collectives
  - Des valeurs et des normes propres à des groupes, à des institutions et à des organisations

- **DIALOGUE**
  - Les formes du dialogue : la délibération
  - Des moyens pour élaborer un point de vue : la description, la synthèse

4.1 Le patrimoine religieux québécois

Le mot patrimoine est un mot que vous avez probablement déjà lu ou entendu, mais savez-vous ce qu'il veut dire ? Le patrimoine a-t-il une influence sur votre vie ?

Doc. 4.1 Des maisons ancestrales du Vieux-Québec.

Doc. 4.2 L'église catholique Notre-Dame-de-Bonsecours dans le Vieux-Montréal.

Doc. 4.3 Une petite église protestante comme il y en a des centaines au Québec.

UN HÉRITAGE DU PASSÉ

Le patrimoine est l'héritage du passé dont nous profitons aujourd'hui et que nous transmettons aux générations à venir. Les maisons du XVIIᵉ siècle du Vieux-Québec sont des exemples de lieux qui témoignent de la vie d'autrefois. Mais saviez-vous que les valeurs **judéo-chrétiennes** inscrites dans la Charte des droits et libertés de la personne du Québec font aussi partie du patrimoine québécois ?

Le patrimoine religieux

Au fil des siècles, l'Église catholique a été très influente sur plusieurs continents. Les Français qui ont fondé la Nouvelle-France ont reproduit la société française officiellement catholique du XVIIᵉ siècle. Dès les premières années de la colonie, l'Église a pris en charge la spiritualité, l'éducation, les soins de santé et les arts. Elle a fait bâtir des églises, des écoles, des hôpitaux et de nombreux monuments.

En 1763, la Nouvelle-France est cédée à la Grande-Bretagne qui comprend surtout des anglicans et des protestants. Au début, pour appliquer les lois de la Grande-Bretagne, les responsables britanniques restreignent les droits des catholiques romains. Pour survivre dans la *Province of Quebec*, le **clergé** catholique prend vigoureusement la défense de la religion, de la culture et de la langue française. C'est pour cette raison qu'au Québec, le patrimoine culturel et le patrimoine religieux sont si intimement liés. Jusqu'à la fin des années 1960, l'Église catholique a été **omniprésente** dans la vie québécoise. Dans les régions où la présence anglaise était importante, les anglicans, avec les presbytériens et les méthodistes (principales confessions protestantes à l'époque) ont contribué à leur manière à enrichir le patrimoine religieux québécois.

Judéo-chrétien : qui appartient à la fois aux valeurs spirituelles du judaïsme et du christianisme. Les Églises catholiques, protestantes et orthodoxes sont des Églises chrétiennes.

Clergé : ensemble des membres d'une Église appartenant à des ordres religieux (évêques, prêtres, pasteurs, popes, moines, etc.).

Omniprésent : présent partout.

Partout au Québec, comme ailleurs dans le monde, il est d'usage
de nommer les rues, les municipalités, les institutions.
Avez-vous déjà remarqué que ces noms ont souvent une origine autochtone,
religieuse, culturelle, géographique ou historique ? Savez-vous pourquoi ?

DES NOMS AUTOCHTONES

Lorsque les Européens sont arrivés en Amérique au XVIe siècle, le continent était déjà habité. Les Autochtones avaient nommé les lieux où ils vivaient et avec lesquels ils entretenaient des liens spirituels. Les noms choisis décrivaient souvent une entité physique, une particularité de la nature ou encore faisaient référence à des esprits. De nombreux lieux portent encore des noms d'origine autochtone. Dans plusieurs cas, ces noms sont des traductions ou des adaptations de noms amérindiens ou inuits.

Les premiers occupants

Au Québec, on compte une nation inuite et dix nations amérindiennes regroupées en deux grandes familles linguistiques : la famille algonquienne et la famille iroquoienne. Les Abénaquis, les Algonquins, les Atikamekw, les Cris, les Malécites, les Micmacs, les Montagnais et les Naskapis sont des Algonquiens. Les Hurons-Wendat et les Mohawks sont des Iroquoiens. Voici quelques exemples de noms de lieux d'origine autochtone indiquant la nation d'où ils proviennent et leur signification.

POUR EN SAVOIR +

Dans la mythologie amérindienne, lorsque les grands esprits veulent se rendre vers la source des cours d'eau, ils détruisent les **chaussées** construites par des castors géants. C'est ainsi que les rapides sont créés. Les Mohawks auraient avancé cette explication d'origine mythique pour la formation des rapides de Lachine. C'est pourquoi le nom d'Hochelaga, le village qui était situé tout près, peut avoir deux significations : gros rapides et chaussée des castors.

Chaussée : barrage ou digue de terre retenant l'eau.

1 LANGUES IROQUOIENNES

Ahuntsic :	petit et frétillant (wendat).
Canada :	village ou peuplement (huron).
Hochelaga :	gros rapides ou chaussée des castors (mohawk).
Kahnawake :	au rapide, par allusion aux rapides de Lachine (mohawk).
Kanesatake :	au bas de la côte (mohawk).

2 LANGUES ALGONQUIENNES

Chicoutimi :	jusqu'où c'est profond, la fin des eaux profondes (montagnais).
Escoumins :	où il y a des fruits, des graines (montagnais).
Gaspé :	du mot micmac *gespeg*, qui veut dire bout, fin, extrémité, fin des terres.
Mascouche :	ourson (algonquin).
Oka :	poisson doré (algonquin).
Matane :	épaves, rencontre des eaux (malécite), vivier de castors (micmac).
Mégantic :	au camp des truites saumonées (abénaquis).
Mingan :	loup, loup des bois (montagnais).
Québec :	là où la rivière se rétrécit (algonquin).
Yamachiche :	rivière vaseuse (cri) ou petit poisson (abénaquis).

3 INUKTITUT

Inukjuak :	signifie « le grand homme, le géant » (inuktitut). Jusqu'en 1980, Inukjuak s'est appelé Port Harrison.
Ivujivik :	lieu où l'on est pris par les glaces qui dérivent (inuktitut). Le plus septentrional des villages québécois.
Kuujjuaq :	forme contemporaine de *Koksoak*, qui signifie « la grande rivière » (inuktitut). Jusqu'en 1979, Kuujjuaq s'est appelé Fort Chimo.
Puvirnituq :	signifie « ça sent la viande pourrie » (inuktitut).

DES NOMS RELIGIEUX ET HISTORIQUES

Lorsque les Français ont commencé à s'établir en Amérique du Nord, ils ont donné à leurs villages des noms auxquels ils pouvaient s'identifier. Quand les habitants attribuaient un nom religieux à un lieu, c'était pour eux une manière d'implorer la protection divine. Parfois, on ajoutait le nom d'un saint au nom amérindien qui existait déjà, comme à Sainte-Anne-de-Yamachiche ou à Saint-Roch-de-Mékinac. Au Québec, plusieurs noms de villes et villages portent le nom d'un saint.

Nous avons vu que les Britanniques arrivés au XVIIIᵉ siècle étaient protestants. Ils ont donné aux villes et aux institutions qu'ils ont fondées des noms qui reflétaient leurs croyances et leur culture.

Puis, des immigrants de religions diverses venus ensuite s'établir au Québec ont eux aussi contribué à enrichir le patrimoine religieux québécois. Souvent, on a choisi les noms de ces pionniers, fondateurs et personnages marquants de la société pour identifier une rue, un boulevard, une université ou un édifice.

La **toponymie** du Québec est un reflet de notre histoire. La société québécoise d'aujourd'hui reste profondément marquée, entre autres, par le catholicisme et le protestantisme, mais également par les spiritualités autochtones.

Doc. 4.4 La petite église protestante du village d'Abercorn dans les Cantons-de-l'Est. Fondé par des Loyalistes en 1792, Abercorn s'appelle ainsi en l'honneur du marquis James d'Abercorn, un noble écossais.

4.3 Des personnages marquants qui ont fondé le Québec

Le Québec d'aujourd'hui a été façonné par des hommes et des femmes qui ont consacré leur vie au développement de cette colonie française d'Amérique du Nord. Certains étaient catholiques, d'autres protestants. Ils étaient dévoués à leur roi, fidèles à leur foi et se sont attachés à cette terre d'Amérique où tout était à construire. Que nous ont-ils laissé ?

LES EXPÉDITIONS FRANÇAISES EN AMÉRIQUE

Vous êtes-vous déjà demandé pourquoi la recherche d'un passage maritime vers l'Asie était si importante au XVᵉ siècle ? C'est que depuis la prise de Constantinople par les Turcs en 1453, la route terrestre vers l'Orient et ses immenses richesses était coupée. Les Européens se sont alors tournés vers l'ouest dans l'espoir d'atteindre l'Asie. Et c'est ainsi qu'ils trouvèrent l'Amérique sur leur route.

En 1534 et 1535, le Français **Jacques Cartier** fait deux voyages à l'intérieur de ce nouveau continent à la recherche d'or et d'un passage vers l'Asie. Il ne trouve ni l'un ni l'autre, mais il plante une croix à Gaspé, s'arrête à Tadoussac et explore jusqu'à Hochelaga le fleuve qu'il nommera Saint-Laurent.

Doc. 4.5 Lors de son premier voyage au Canada en 1534, Jacques Cartier plante une croix à Gaspé en signe de son appartenance religieuse et pour prendre possession du territoire au nom du roi de France, François Iᵉʳ. Aujourd'hui, un monument à Gaspé rappelle cet événement.

En 1540, François Iᵉʳ confie la direction d'une autre expédition à **Jean-François de la Rocque, sieur de Roberval**. Bien qu'il soit protestant, Roberval a pour mission d'y fonder une colonie « pour la communication de notre sainte foi catholique ». N'oublions pas que la France de l'époque est officiellement catholique. Roberval installe ses colons à Cap-Rouge mais la famine et le **scorbut** déciment les habitants et les survivants rentrent en France l'année suivante.

UNE COLONIE FRANÇAISE ET CATHOLIQUE

Au début du XVIIᵉ siècle, **Pierre Dugua de Mons** et **Pierre Chauvin** fondent à Tadoussac un poste de traite pour y pratiquer le commerce des fourrures avec les Amérindiens. Les deux hommes sont protestants. En 1608, Dugua de Mons prépare et finance l'établissement d'une colonie permanente à Québec qu'il confie à son lieutenant, **Samuel de Champlain**. Celui-ci invite des communautés religieuses à l'aider à bâtir la colonie. Les **Récollets** s'installent en 1615 et les **Jésuites** en 1625.

POUR EN SAVOIR +

Les **Récollets** étaient un ordre religieux catholique de missionnaires et de prédicateurs.

Les **Jésuites** font partie d'un ordre religieux catholique, la Compagnie de Jésus. À partir de 1632, ils ont rédigé des récits de leurs missions en Nouvelle-France, les *Relations*. Ces écrits constituent l'une des principales sources d'information sur les débuts de la colonisation française en Amérique du Nord.

Scorbut : maladie, souvent mortelle, provoquée par un manque de vitamine C.

BAC-C011050

La Nouvelle-France

Dès 1627, le culte protestant est interdit en Nouvelle-France. Seuls les catholiques peuvent être missionnaires pour convertir les Amérindiens. Les communautés religieuses catholiques se lancent dans une vaste entreprise d'évangélisation. Les missionnaires sont aussi interprètes et explorateurs. Ils découvrent des territoires jusque-là inconnus des Français.

Par exemple, le père jésuite **Jacques Marquette** étudie le montagnais et d'autres langues autochtones. Il se rend dans la région des Grands-Lacs pour y convertir les Amérindiens à la foi catholique. En 1674, il explore avec **Louis Jolliet** le fleuve Mississippi jusqu'à la Louisiane. Plusieurs endroits au Québec portent leurs noms.

Doc. 4.6 Le 17 mai 1642, le père **Barthélémy Vimont**, supérieur de la mission jésuite au Canada, célèbre la première **messe** lors de la fondation de Ville-Marie. Cette illustration a été tirée de la *Petite histoire du Canada* imagée par Georges-Henri Duquet en 1933.

Messe : cérémonie rituelle du culte catholique célébrée par le prêtre qui offre à Dieu du pain et du vin devenus, par la consécration, le corps et le sang du Christ.

Doc. 4.7 Louis Jolliet et le père Marquette en expédition.

La fondation de Ville-Marie

Tout au long du XVIIe siècle, la Nouvelle-France se développe. En 1642, **Jérôme Le Royer de La Dauversière** met sur pied une expédition dont le but est de convertir les Amérindiens à la foi catholique. **Paul Chomedey de Maisonneuve** se voit confier avec **Jeanne Mance** la direction de cette expédition de colonisation sur l'île de Montréal. Ils y érigent un fort qu'ils nomment Ville-Marie en l'honneur de la Vierge Marie. Mais les Amérindiens sont peu intéressés à se convertir. Ville-Marie, qu'on appelle peu à peu Montréal, grandit et devient le plus important poste de traite des fourrures de la Nouvelle-France.

CHAPITRE 4

Doc. 4.8 Les premières religieuses ursulines avec des étudiantes amérindiennes, à Québec.

LE RÔLE DE L'ÉGLISE CATHOLIQUE

Le rôle de l'Église catholique est **prépondérant** dans la vie des habitants de la Nouvelle-France. La religion occupe toutes les sphères de la vie courante. L'éducation, les arts, la santé et la spiritualité sont pris en charge par les communautés religieuses.

Prépondérant : qui domine par le poids, l'autorité, le prestige.

L'éducation

Les écoles sont dirigées par des communautés religieuses. L'instruction est à l'époque un outil de propagation de la foi. Les Jésuites et leur supérieur, **Paul le Jeune**, ouvrent en 1635 la première école de la colonie, à l'emplacement même où se trouve l'actuel hôtel de ville de Québec. Quatre ans plus tard, **Marie de l'Incarnation (née Marie Guyart)** s'embarque pour la Nouvelle-France. Elle fonde à Québec le couvent des **Ursulines** voué à l'éducation des jeunes filles de la colonie. En 1653, **Marguerite Bourgeoys** arrive à Montréal. Elle y fait construire la chapelle Notre-Dame-de-Bon-Secours. Trois ans plus tard, elle fonde la **Congrégation Notre-Dame de Montréal** dans le but d'instruire les enfants de la colonie. Plusieurs écoles du Québec portent aujourd'hui son nom.

Les arts

Les communautés religieuses dirigent aussi des écoles d'arts et métiers, ce qui contribue à la formation artistique et pratique des habitants de la colonie. On y enseigne la sculpture, la peinture et la dorure, mais aussi l'agriculture, la menuiserie, la cordonnerie, la charpenterie.

La santé

En août 1639, trois jeunes religieuses de l'ordre de Saint-Augustin, les **Augustines**, arrivent à Québec. À la demande de la duchesse **d'Aiguillon**, elles viennent y fonder l'Hôtel-Dieu de Québec qui sera le premier hôpital de l'Amérique française. Elles se consacrent aux soins des Autochtones, pour lesquels on construit aussi quelques habitations à proximité de l'hôpital. En 1648, mère **Marie-Catherine de Saint-Augustin** vient les rejoindre et dédie sa vie au service des pauvres et des malades. Elle est considérée comme la cofondatrice de l'Église catholique en Nouvelle-France. L'Hôtel-Dieu de Québec est aujourd'hui devenu un grand hôpital que les Augustines ont administré jusqu'en 1962.

Doc. 4.9 Au couvent des Ursulines à Québec, les religieuses se consacrent encore aujourd'hui à la formation scolaire des jeunes.

Des noms qui en disent long

Doc. 4.10 Un vitrail de la basilique Notre-Dame à Montréal représente Jeanne Mance, la fondatrice de l'Hôtel-Dieu. Ce vitrail a été réalisé par Francis Chigot, un artiste français, en 1931.

Évêque : dans le catholicisme romain, un évêque est un dignitaire nommé par le pape et responsable d'un diocèse. Il y a aussi des évêques chez les anglicans, chez les luthériens et chez les orthodoxes.

Recensement : opération consistant à compter les individus d'un pays, d'un village, etc.

En 1642, peu de temps après son arrivée à Ville-Marie, **Jeanne Mance**, grâce à un don de sa bienfaitrice, la marquise **de Bullion**, fonde le premier hôpital de Montréal, appelé également Hôtel-Dieu. En 1659, une congrégation de religieuses, les **Hospitalières de Saint-Joseph**, viennent aider Jeanne Mance. Après la mort de cette dernière en 1673, les Hospitalières deviennent administratrices de l'Hôtel-Dieu de Montréal.

En 1737, après le décès de son époux, **Marguerite d'Youville (née Dufrost de La Jemmerais)** se consacre aux œuvres de charité. Elle fonde la communauté des Sœurs de la Charité, dites **Sœurs Grises**, qui prennent soin des démunis, des sans-abri, des veuves, des orphelins et des malades.

La spiritualité

En 1659, **François Montmorency de Laval** arrive en Nouvelle-France dont il devient le premier **évêque**. En 1663, il fonde le Grand Séminaire de Québec destiné à la formation des prêtres. Le territoire de la Nouvelle-France est divisé en paroisses qui comprennent une église, un presbytère où loge le curé, une école et un magasin général. La paroisse joue à la fois un rôle religieux et un rôle administratif, entre autres pour les recensements. La vie religieuse est strictement réglementée sous le Régime français.

Un rôle différent mais tout aussi important

Depuis les débuts de la Nouvelle-France, l'Église catholique a constitué un soutien fondamental de la colonie et une force politique importante. Elle jouera ce rôle sans partage jusqu'à la Conquête. Après 1763, la Nouvelle-France devient une colonie anglaise protestante. L'Église catholique voit alors son rôle se modifier, mais son influence sur les habitants de la Province de Québec demeurera prépondérante pendant encore deux siècles. Sachant cela, il est plus facile de comprendre pourquoi le patrimoine religieux du Québec a été si fortement marqué par le catholicisme.

Doc. **4.11** Les ruines de l'église Notre-Dame-de-la-Victoire détruite par les Anglais lors de la prise de Québec en 1759. L'église a été reconstruite et constitue un des grands attraits touristiques de Québec.

BAC C000357

UNE COLONIE ANGLAISE ET PROTESTANTE

Le patrimoine religieux du Québec sera aussi marqué par les religions protestantes. Dès 1763, Londres impose à sa colonie un caractère résolument britannique et protestant. Les dirigeants français de la Nouvelle-France sont remplacés par des Britanniques, les catholiques romains sont exclus de l'administration et la colonie s'appelle dorénavant *Province of Quebec*. C'est tout un renversement de situation!

Une résistance passive

Cette situation est loin de plaire aux Canadiens français, qui constituent l'immense majorité de la population. Le clergé catholique n'aime pas non plus voir ses pouvoirs grandement limités. Lors du départ des dirigeants français, les curés sont presque les seules personnes instruites qui restent au pays. Ils continuent à s'occuper des questions d'ordre religieux et matériel dans les paroisses. Plusieurs d'entre eux encouragent les fidèles à résister à l'assimilation britannique.

Au fil des années, les Britanniques prennent conscience de la grande influence du clergé catholique sur la population. Ils assouplissent leurs exigences en laissant les prêtres libres d'exercer leur ministère et en permettant aux catholiques de participer à l'administration. Le clergé catholique continuera ainsi à jouer un rôle prépondérant dans la vie québécoise.

DE NOUVEAUX BÂTISSEURS

La Province de Québec accueille peu à peu de nouveaux immigrants britanniques et majoritairement protestants provenant d'Europe et des Treize colonies anglo-américaines. Ils s'installeront principalement à Montréal, à Québec, dans les Cantons-de-l'Est et en Gaspésie. De plus, les Juifs peuvent maintenant venir s'établir au Québec, ce qui était impossible sous le Régime français, car la France ne tolérait pas les communautés juives dans ses colonies.

Un peu d'histoire

James McGill (1744-1813)

James McGill est né à Glasgow en Écosse. À son arrivée au Canada en 1766, il devient marchand de fourrures. Plus tard, ayant fait fortune, il met sa richesse au service des institutions de Montréal. Il est très actif dans la vie publique et assume plusieurs fonctions importantes tant au niveau municipal que provincial. Il milite pour la création au Bas-Canada d'une Chambre d'assemblée qui sera constituée en 1791. Il y est élu à trois reprises. Sa vie reflète sa tolérance à l'égard des divergences d'opinion religieuse. Né dans l'Église presbytérienne d'Écosse, il épousa une catholique et était devenu anglican à sa mort. Il apporta son soutien à la fois aux Églises presbytérienne et anglicane de Montréal. Il légua un héritage qui servit à fonder à Montréal l'université portant son nom.

© Musée McCord/M970X.10b

Abraham de Sola (1825-1882)

Né à Londres en Angleterre, Abraham de Sola est arrivé au Canada en 1847. Il est devenu rabbin de la première congrégation juive sépharade de Montréal, Shearith Israel, fondée en 1768. Il y organise l'éducation, la vie communautaire et le bénévolat. Il enseigne aussi l'hébreu, la littérature rabbinique, la littérature orientale, l'espagnol et la philologie à l'Université McGill. Comme auteur, éditeur et traducteur, il participe activement à la vie littéraire et scientifique de Montréal. Il s'intéresse particulièrement aux débats contemporains sur la religion et la science. Il a écrit des études sur l'histoire, la cosmographie et la médecine juives.

© Archives de l'Université McGill

Des noms qui en disent long

Doc. 4.12 La chapelle de l'Université Bishop's à Lennoxville.

Un héritage protestant d'une grande richesse

L'héritage laissé par les protestants arrivés à la fin du XVIIIᵉ siècle et au XIXᵉ siècle est encore très présent aujourd'hui. Par exemple, l'**Université Bishop's** à Lennoxville a été fondée en 1843 sous la direction de l'Église anglicane qui en assura l'administration jusqu'en 1947. Des centaines d'églises et de chapelles ont été construites et sont toujours des lieux de culte. Un protestant francophone, **Henri Joly de Lotbinière** (1829-1908), qui était anglican, fut premier ministre du Québec de mars 1878 à octobre 1879.

Parmi les personnages de religion protestante qui ont façonné le Québec, mentionnons **Henriette Odin Feller**. Née en Suisse, elle arrive au Canada en 1835 comme missionnaire protestante. Freinée à Montréal par un clergé catholique qui ne voulait pas des protestants, elle s'établit à Saint-Blaise, dans la vallée du Richelieu. Elle y fonde la première communauté protestante francophone au Québec qui, au moment de son décès en 1868, comptait près de 400 membres. Encore aujourd'hui, la dizaine d'Églises protestantes auxquelles elle a donné naissance conservent un précieux souvenir de leur fondatrice.

Doc. 4.13 Henriette Odin Feller (1800-1868).

Des luttes pour les droits des Juifs

Des lieux et des institutions portent le nom de personnes qui ont grandement contribué à faire avancer le Québec. À Trois-Rivières, la rue Hart a été ainsi nommée en l'honneur d'**Ezekiel Hart**. Né à Trois-Rivières, ce dernier était un homme d'affaires prospère qui a contribué, entre autres, à la fondation de la Banque de Montréal. En 1807, il devient le premier Juif de tout l'Empire britannique à être élu député. Il prête serment à la Chambre d'assemblée du Bas-Canada selon le rite juif, mais il ne pourra siéger, car on conteste la validité de son serment. Il prête alors serment une deuxième fois selon le rite catholique, mais est quand même expulsé par la Chambre. Réélu en 1808, il est de nouveau exclu du Parlement pour les mêmes raisons. Après que Londres eut confirmé que les Juifs ne pouvaient être élus à l'Assemblée, Hart quitte la politique. Deux de ses fils poursuivront la lutte qui mènera en 1832 à la reconnaissance des droits des Juifs au Bas-Canada.

En effet, cette même année, sur une proposition des députés John Neilson et Louis-Joseph Papineau, la Chambre d'assemblée du Bas-Canada vote une loi qui accorde enfin aux Juifs tous les droits et privilèges dont jouissent les citoyens du Bas-Canada, y compris celui de siéger comme député.

Doc. 4.14 Ezekiel Hart (1770-1843).

UN PATRIMOINE RELIGIEUX REFLET DE L'HISTOIRE

Aujourd'hui sur le mont Royal, qui domine la ville de Montréal, se trouvent réunis des éléments du patrimoine religieux catholique, protestant, juif et autochtone.

Les plus visibles de ces éléments sont l'oratoire Saint-Joseph et la grande croix lumineuse. L'oratoire Saint-Joseph est devenu le plus important lieu de pèlerinage dédié à saint Joseph. Près de deux millions de visiteurs chaque année y viennent de partout dans le monde. C'est aussi la plus grande église catholique du Canada. La grande croix lumineuse qui a été installée en 1924 sur un sommet de la montagne rappelle la croix de bois que Paul Chomedey de Maisonneuve y avait plantée en 1643 pour remercier la Vierge Marie d'avoir épargné Ville-Marie d'une grande inondation.

Le mont Royal comporte aussi plusieurs belvédères d'où on a une vue spectaculaire sur la ville. L'un d'entre eux est nommé « Belvédère Kondiaronk » en l'honneur d'un grand chef huron-wendat. **Gaspar Soiaga Kondiaronk** (1626-1701) était un chef intelligent, rusé et éloquent. Converti à la religion catholique, il a consacré les dernières années de sa vie à négocier la Grande Paix de Montréal signée en 1701 par le gouverneur de la Nouvelle-France et 39 chefs amérindiens. Ce traité mettait fin à plus de cent ans de conflits.

Une grande partie du mont Royal est occupée par quatre cimetières de confessions religieuses différentes. Le cimetière Mont-Royal a été créé en 1852 par les Églises anglicane, presbytérienne, méthodiste, unitarienne et baptiste. Tout à côté, il y a le cimetière Notre-Dame-des-Neiges ouvert en 1854 et qui est le plus grand cimetière catholique du Canada. Puis, tout près se trouvent les deux cimetières juifs Shearith Israel et Shaar Hashomayim qui ont été aménagés au milieu du XIXe siècle.

Comme nous venons de le voir dans les pages qui précèdent, le patrimoine religieux québécois est le reflet de l'histoire du Québec depuis le XVIe siècle. Ce patrimoine est marqué principalement par la l'Église catholique, présente sur le territoire depuis plus de 400 ans. Les protestants et les juifs, arrivés bien après les catholiques, ont aussi laissé un héritage religieux important. Au cours des dernières décennies, d'autres immigrants de confessions religieuses diverses ont aussi apporté leur contribution. Tous ces pionniers et bâtisseurs ont participé à l'enrichissement de la société et ont fait du Québec ce qu'il est aujourd'hui.

Doc. 4.15 Le belvédère Kondiaronk devant le chalet du mont Royal.

Doc. 4.16 La grande croix catholique sur le mont Royal.

Doc. 4.17
L'oratoire Saint-Joseph sur le mont Royal.

Des noms qui en disent long

4.4 Un Québec ouvert sur le monde

La ferveur religieuse qui avait animé le Québec pendant 400 ans s'est quelque peu atténuée à partir des années 1960. Comment expliquer alors que le patrimoine religieux soit demeuré aussi important ?

■ **Doc. 4.18** La pagode khmère du Canada à Montréal.

Photo Patrick

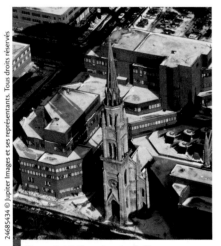

24685434 © Jupiter Images et ses représentants. Tous droits réservés

■ **Doc. 4.19** L'ancienne église Saint-Jacques à l'UQAM.

POUR EN SAVOIR +

Les premiers bouddhistes arrivés au Québec étaient chinois. Ils ont immigré à la fin du XIXe siècle. Dans les années 1970, l'arrivée de nouveaux immigrants et l'intérêt des Québécois pour la méditation et l'enseignement du Bouddha ont permis de populariser cette religion.

UN PATRIMOINE RELIGIEUX EN ÉVOLUTION

On a conservé ces noms de villes, villages, rues, écoles, édifices rappelant les bâtisseurs de diverses religions qui se sont succédé au cours des quatre derniers siècles, même si la ferveur religieuse d'antan s'est atténuée. Certaines églises, faute de fidèles, ont changé de vocation. Par exemple, l'église protestante Erskine and American a été annexée au Musée des Beaux-Arts de Montréal. Une partie de l'église catholique Saint-Jacques a été intégrée à l'architecture du pavillon Judith-Jasmin de l'UQAM. D'autres sont devenues de hauts lieux touristiques tout en conservant leur vocation première, comme la basilique Notre-Dame de Montréal.

Diversité religieuse et richesse patrimoniale

Au cours des dernières décennies, de nombreux immigrants arrivant de partout dans le monde sont venus s'établir au Québec, apportant avec eux leurs croyances et leurs coutumes. De nouveaux lieux de culte ont été intégrés au patrimoine religieux existant. On a vu apparaître des temples hindous, des temples ou des pagodes bouddhiques, des mosquées musulmanes. Des parcs, des écoles portent le nom de personnages reliés à ces communautés plus récentes, comme le parc **Mahatma-Gandhi** à Montréal.

CE CHAPITRE vous aura permis de mieux comprendre la richesse et la diversité du patrimoine religieux québécois. Ce patrimoine, témoin de quatre siècles d'histoire, se renouvelle et évolue au fil du temps grâce à de nouveaux apports culturels.

Photo Patrick Fuyet

■ **Doc. 4.20** La Pagode Thuyên Tôn, temple de la Congrégation Bouddhique Unifiée du Viêt Nam au Canada.

La « ville aux cent clochers »

Montréal est une grande métropole au patrimoine religieux riche et diversifié. Les éléments les plus visibles de ce patrimoine sont les impressionnantes églises, catholiques ou protestantes, dont les **clochers** pointent leurs flèches haut vers le ciel, d'où le surnom de « ville aux cent clochers ». Au moins sept autres villes dans le monde ont aussi ce surnom : Prague en République tchèque, Liège en Belgique ainsi que Caen, Dijon, Poitiers, Rouen et Troyes en France.

Doc. 4.21
La cathédrale anglicane Christ Church construite en 1856.

Doc. 4.22 La basilique Notre-Dame dont la construction a débuté en 1824.

Les églises

Les églises de Montréal sont souvent des chefs-d'œuvre d'architecture inspirés d'abord des styles d'églises françaises, puis anglaises et américaines. Ces bâtiments religieux ont été adaptés au climat et aux besoins des communautés qui les faisaient construire. Plusieurs sont des monuments uniques en leur genre et ont une grande valeur patrimoniale. C'est pourquoi, entre autres, la basilique Notre-Dame, la cathédrale anglicane Christ Church, l'église unie St. James, la cathédrale Marie-Reine-du-Monde et la chapelle Notre-Dame-de-Bon-secours ont été classées monuments historiques.

Clocher : élément architectural d'une église, plus ou moins élevé, où sont placées les cloches.

Des noms qui en disent long

Culture et société
Les premières synagogues

La synagogue est le lieu de culte ainsi que le centre d'étude
et de rencontre pour les membres de la communauté juive.

Doc. 4.23 Un dessin de la synagogue de la congrégation hispano-portugaise Shearith Israel construite en 1838 rue Cheneville.

LES JUIFS DU QUÉBEC

Les premières communautés juives sont arrivées au Québec à la fin du XVIIIe siècle, sous le Régime britannique. Comme nous l'avons vu, au temps de la Nouvelle-France, il était interdit aux Juifs de s'établir dans les colonies françaises.

En décembre 1768, les Juifs montréalais créent la congrégation Shearith Israel. Leur première synagogue est construite en 1777, entre les rues Notre-Dame et Saint-Jacques. Cet immeuble disparaît vers 1820. Quelques années plus tard, un membre du conseil d'administration de la congrégation mène une campagne de souscription afin d'amasser des fonds pour la construction d'une nouvelle synagogue. Il s'agit de Benjamin Hart, le frère d'Ezekiel. Ce lieu de culte, nommé Spanish and Portuguese Synagogue, sera construit en 1838 rue Cheneville, près de la rue de La Gauchetière. En 1887, la synagogue sera déménagée rue Stanley, et finalement, rue Saint-Kevin, en 1947.

Doc. 4.24 La synagogue Shearith Israel construite en 1887 rue Stanley.

Doc. 4.25 La synagogue de la congrégation hispano-portugaise Shearith Israel aujourd'hui située rue Saint-Kevin.

La première mosquée

La mosquée constitue le centre de la vie religieuse pour les musulmans. Elle sert de lieu de culte, de centre communautaire et d'étude.

Doc. 4.26 À gauche de la photo, la première mosquée du Québec construite à Saint-Laurent en 1965. Depuis, on lui a ajouté le bâtiment de droite, plus grand, pour accommoder les nombreux fidèles.

LES MUSULMANS DU QUÉBEC

En 1921, dans tout le Canada, il y avait moins de 500 musulmans. Les premiers immigrants de confession musulmane sont arrivés au Québec dans les années 1960. Aujourd'hui, la communauté musulmane compte plus de 100 000 personnes à Montréal.

La première mosquée construite au Québec porte le nom de Centre islamique du Québec. Elle a été érigée en 1965, à Saint-Laurent. Aujourd'hui, il en existe une vingtaine sur l'île de Montréal et une dizaine ailleurs au Québec, notamment à Brossard, Laval, Trois-Rivières et Québec. Comme cela s'est souvent produit dans le passé pour d'autres religions, les musulmans ont eux aussi racheté des lieux de culte désaffectés pour y installer leurs propres temples. Par exemple, à Longueuil, l'ancien temple de l'Église unie du Canada est devenu la mosquée Markez-ul-Islam de la Rive-Sud. La mosquée Ahmadiyya Movement in Islam est logée dans un ancien temple luthérien, rue Bellerive à Montréal.

Des noms qui en disent long

Culture et société
Les premières églises protestantes au Québec

L'église, aussi appelée temple, est le lieu de culte des protestants.

Doc. 4.27 L'église Saint-James à Trois-Rivières construite en 1754 sous le Régime français.

© Conseil du Patrimoine religieux du Québec, 2003

L'ÉGLISE SAINT-JAMES

Lorsque les Britanniques sont arrivés en Nouvelle-France en 1760, ils ont réquisitionné et utilisé certaines églises catholiques. Par exemple, à Trois-Rivières les Britanniques ont transformé l'église des Récollets en lieu de culte anglican. En 1823, son nom fut changé pour Saint-James.

LA CHAPELLE DES CUTHBERT

La chapelle des Cuthbert est reconnue comme étant la plus ancienne église de confession protestante construite au Québec. Elle a été bâtie par James Cuthbert en 1786 à Berthierville, sur la rive nord du Saint-Laurent. Elle est classée monument historique.

© Le Québec en images/CCDMD/Denis Chabot Photo no 9972

Doc. 4.28 La chapelle des Cuthbert.

POUR EN SAVOIR +

Nous avons vu au début de ce chapitre qu'au XVIe siècle, de nombreux catholiques d'Europe ont remis en cause certaines croyances et pratiques de l'Église catholique de Rome. Le refus de cette dernière de procéder à des réformes a conduit à la création des Églises protestantes. Il y a plusieurs dénominations protestantes. Parmi celles qui sont présentes au Canada, il y a les luthériens, les presbytériens, les méthodistes, les adventistes, les Assemblées de la Pentecôte, plusieurs Églises évangéliques issues du calvinisme et l'Église unie du Canada qui résulte de la fusion, en 1925, de certaines Églises méthodistes, presbytériennes et congrégationalistes.

Les temples hindous et sikhs au Québec

Le temple est le centre de la vie religieuse, sociale et culturelle tant pour les hindous que pour les sikhs. C'est également un lieu de méditation.

LES HINDOUS DU QUÉBEC

Le premier lieu de rassemblement des hindous au Québec fut le Centre Sri Aurobindo, ouvert en 1979, rue Saint-Denis, à Montréal. C'est surtout un lieu de méditation. On y donne aussi des cours de yoga.

Au début des années 1980, un temple hindou été ouvert rue de Bellechasse à Montréal : la Mission hindoue du Canada. Près de 25 000 personnes de confession hindoue vivent au Québec.

LES SIKHS DU QUÉBEC

Le gurdwara Guru Nanak Darbar est le principal temple sikh de Montréal. Ce temple est situé à La Salle dans l'ouest de Montréal. Les sikhs, qui sont arrivés au Québec vers la fin des années 1950, sont aujourd'hui, selon le recensement de 2001, environ 8225.

Photo Patrick Fuyet

Doc. 4.29 La Mission hindoue du Canada, rue de Bellechasse.

Doc. 4.30 Le gurdwara Guru Nanak Darbar est le principal temple sikh de Montréal.

Photo Patrick Fuyet

Ici et ailleurs

Nous venons de voir que le patrimoine religieux québécois est riche et diversifié. Mais saviez-vous qu'ailleurs dans le monde les différentes religions ont aussi laissé un patrimoine très important ? Par exemple, en France et en Grande-Bretagne, d'où sont venus les fondateurs du Québec, la religion catholique et la religion protestante ont laissé un héritage patrimonial impressionnant. En plus des églises catholiques, il y a aussi en France de nombreux temples protestants, tout comme il y a de nombreuses églises catholiques en Grande-Bretagne.

En France

Le patrimoine religieux de la France est aujourd'hui l'un des plus riches au monde. Voici trois des plus célèbres églises de ce pays qui sont des lieux de culte catholique très anciens et encore très fréquentés. Ces églises sont classées au Patrimoine mondial de l'UNESCO.

Doc. 4.31 L'abbaye du mont Saint-Michel est située sur un rocher de la côte normande relié à la terre ferme à marée basse. C'est un lieu de culte depuis 709. En 966, un monastère bénédictin y a été construit, puis il fut remplacé par une immense église sur le sommet du rocher. Ce joyau attire annuellement des millions de visiteurs.

Doc. 4.32 Notre-Dame de Paris. La cathédrale a été construite à partir de 1163 sur l'emplacement d'une autre cathédrale datant du IVe siècle. Notre-Dame a subi de nombreuses modifications au fil des siècles et des guerres. C'est un symbole de Paris et de la France. Elle attire quelque 12 millions de visiteurs annuellement.

Doc. 4.33 Notre-Dame de Reims. Cette cathédrale est située en Champagne à 130 km à l'est de Paris. Une première cathédrale avait été édifiée dès le Ve siècle. L'édifice actuel, destiné à remplacer l'ancien détruit par un incendie, a été construit en 1211. Les rois de France étaient couronnés dans la cathédrale de Reims. Elle accueille plus de 1 500 000 visiteurs par an.

En Grande-Bretagne

Même si les religions anglicane et protestantes sont implantées en Grande-Bretagne depuis le XVIᵉ siècle, le patrimoine religieux y est cependant beaucoup plus ancien. En effet, de nombreux lieux de culte, devenus anglicans ou protestants au XVIᵉ siècle, avaient été à l'origine des églises catholiques. Voici trois des plus célèbres églises anglicanes de Grande-Bretagne.

Doc. 4.34 L'abbaye de Westminster. L'abbaye, d'abord construite au XIᵉ siècle, puis reconstruite au XIIIᵉ, est un chef-d'œuvre d'architecture médiévale où furent couronnés tous les souverains britanniques depuis 1066. Plusieurs d'entre eux y sont inhumés ainsi que les écrivains William Shakespeare et Charles Dickens entre autres. C'est à la fois un lieu de culte anglican et un musée national inscrit sur la liste du Patrimoine mondial de l'UNESCO.

Doc. 4.36 La cathédrale St. Paul. Situé à Londres, l'édifice actuel a été construit au XVIIᵉ siècle. C'est un lieu de culte anglican très achalandé et une grande attraction touristique. C'est là que le mariage de la princesse Diana et du prince Charles a été célébré.

Doc. 4.35 La cathédrale Christ Church de Canterbury. Située dans le sud-est de l'Angleterre, c'est l'une des plus anciennes et des plus célèbres églises chrétiennes du Royaume-Uni. C'est le siège depuis bientôt cinq siècles du chef spirituel de l'Église anglicane, l'archevêque de Canterbury. Sous l'actuelle cathédrale construite au XIᵉ siècle, on a retrouvé des restes de la première église datant du VIᵉ siècle. La cathédrale de Canterbury est inscrite sur la liste du Patrimoine mondial de l'UNESCO.

Des noms qui en disent long

Synthèse

- Prise de possession de la Nouvelle-France par Jacques Cartier en 1534 au nom du roi de France, François Ier.

- Fondation de Québec en 1608 par Samuel de Champlain.

- Arrivée des Récollets en 1615 et des Jésuites en 1625.

- En 1627, interdiction du culte protestant en Nouvelle-France.

- Jusqu'en 1760, interdiction de la religion juive dans les colonies françaises.

- Sous le Régime français, prise en charge par l'Église catholique de la spiritualité, de l'éducation, des arts et des soins de santé.

- Au cours des XVIIe et XVIIIe siècles, des religieux catholiques parcourent l'Amérique du Nord française pour évangéliser les Amérindiens. Ils découvrent des territoires jusque là inconnus des Français.

- Fondation de Ville-Marie (Montréal) en 1642 par Paul Chomedey de Maisonneuve et Jeanne Mance pour convertir les Amérindiens à la foi catholique.

- Principaux personnages marquants de la Nouvelle-France aux XVIIe et XVIIIe siècles : Samuel de Champlain, Paul Chomedey de Maisonneuve, Jeanne Mance, Paul le Jeune, Marie de l'Incarnation, Marguerite Bourgeoys, Marie-Catherine de Saint-Augustin, François de Laval, Gaspar Soiaga Kondiaronk, Marguerite d'Youville.

- Conquête de la Nouvelle-France par la Grande-Bretagne en 1760. La Nouvelle-France change de nom et devient la *Province of Quebec* en 1763.

- À partir de 1760, arrivée des dirigeants britanniques, protestants et anglicans.

- À partir de 1763, restrictions des droits des catholiques romains.

- À partir de 1763, arrivée d'immigrants britanniques, parmi eux des anglicans, des protestants anglophones, des Juifs et des protestants francophones.

- Après 1763, le clergé catholique continue de s'occuper des questions d'ordre religieux et matériel dans les paroisses francophones. Plusieurs d'entre eux encouragent les fidèles à résister à l'assimilation britannique.

- Après 1763, assouplissement des lois restreignant les droits des catholiques romains.

- Quelques personnages marquants juifs et protestants sous le Régime britannique : James McGill, Abraham de Sola, Ezekiel Hart, Henri Joly de Lotbinière, Henriette Odin Feller.

- Le patrimoine religieux du Québec est marqué par 400 ans de présence catholique et protestante et 250 ans de présence juive.

- Arrivée dans les années 1960 d'immigrants de confessions religieuses diverses : bouddhisme, islam, hindouisme, sikhisme, etc.

- Toponymie du Québec profondément marquée par les spiritualités autochtones.

1 À la lumière de ce que vous avez vu dans ce chapitre, le patrimoine a-t-il une influence sur votre vie ? De quelle façon ? Précisez votre pensée.

2 En quelle année fut construite la première mosquée au Québec ?

3 Quelles sont les traditions religieuses qui ont principalement marqué le patrimoine religieux du Québec ?

4 Comment les Autochtones nommaient-ils les lieux ?

5 Pourquoi les Français de la Nouvelle-France donnaient-ils des noms religieux aux endroits où ils s'installaient ?

6 Dans quel but les missionnaires se rendaient-ils auprès des peuples nouvellement découverts ?

7 Pour quelle raison le roi de France voulait-il fonder une colonie en Amérique du Nord ?

8 Quel a été le rôle des communautés religieuses en Nouvelle-France au début de la colonie ?

9 Qu'ont fait Paul Chomedey de Maisonneuve, Jeanne Mance, Marie de l'Incarnation et Marguerite d'Youville pour qu'on se souvienne d'eux ?

10 Pour quelle raison Jacques Marquette et Louis Jolliet sont-ils reconnus ?

11 À quelle époque la religion protestante s'est-elle implantée en Grande-Bretagne ?

12 Pourquoi la communauté des Sœurs Grises a-t-elle été fondée ?

13 Qui fut le premier évêque de la Nouvelle-France ?

14 Que signifie le mot « Canada » en langue iroquoienne ?

15 En quelle année la religion protestante devient-elle la seule religion reconnue au Québec ?

16 Qu'ont en commun James McGill et Abraham de Sola ?

17 En quoi Henriette Odin Feller est-elle un personnage marquant ?

18 Quelle était la religion d'Ezekiel Hart et quel fut son combat ?

19 Pourquoi a-t-on donné le nom de Kondiaronk à un des belvédères du mont Royal ?

20 Pourquoi appelle-t-on Montréal la « ville aux cent clochers » ?

21 Quand furent construites les premières synagogues au Québec ?

22 Au XVIᵉ siècle, qu'est-ce qui a mené à la Réforme protestante ?

23 Comment se nomme la plus ancienne église protestante construite au Québec ?

24 Pourquoi le patrimoine religieux catholique est-il si important au Québec ?

Le phénomène religieux

CHAPITRE 5

Des récits, des rites et des règles

Les récits, les rites et les règles sont trois des éléments essentiels des religions. Ces éléments sont très étroitement liés. Pourquoi? En quoi consistent-ils? Quelles sont leurs fonctions?

5.1 Des éléments essentiels des traditions religieuses

Pour tenter de comprendre l'inconnu, pour donner un sens à leur vie, beaucoup d'êtres humains ont foi dans des récits, pratiquent des rites et suivent des règles. Ils sont attachés à leurs traditions religieuses. Pourquoi ?

Fondateur : relatif aux fondements, aux bases d'une tradition religieuse. Les textes sacrés constituent l'un des fondements des traditions religieuses et comprennent des récits, des rites, des règles à suivre, des révélations divines, des prières et autres.

Monothéiste : qui croit en un seul dieu.

Prophète : personne en communication avec Dieu et qui parle en son nom.

Polythéiste : qui croit en plusieurs dieux.

Moïse : prophète juif qui a aidé les Hébreux à fuir l'Égypte et qui a reçu de Dieu, selon la tradition, les Dix commandements.

UNE HISTOIRE ENTRE LES DIEUX ET LES HUMAINS

Depuis toujours, les êtres humains cherchent à comprendre qui ils sont et comment a commencé la vie sur terre. À la base des traditions religieuses, il existe presque toujours un ou plusieurs textes **fondateurs** ou textes sacrés. Ceux-ci contiennent divers récits portant, entre autres, sur l'origine de l'Univers et de l'être humain, la condition humaine ou encore les phénomènes naturels. On y trouve aussi des rites et des règles concernant les grands moments de la vie. Dans les religions **monothéistes**, ces textes racontent l'histoire des rapports entre Dieu et l'être humain, y compris la transmission de la parole de Dieu par les **prophètes**. Dans le bouddhisme, les textes parlent d'une expérience de dépassement de la condition humaine accessible à tous ceux qui suivent le Bouddha. Dans les religions **polythéistes**, ils présentent, entre autres, l'histoire des divinités. Enfin, dans les religions où il n'y a pas de livres sacrés, c'est par tradition orale que les récits sont transmis de génération en génération. À des degrés divers, les récits peuvent constituer des pistes d'explications du monde qui nous entoure.

Pour se rapprocher du divin ou de l'ultime, les humains participent à des célébrations religieuses, suivent des règles et s'appuient sur des récits. C'est pourquoi les récits, les règles et les rites, qui sont souvent indissociables, constituent des éléments essentiels des traditions religieuses.

RÉCIT

Wikipedia

■ **Doc. 5.1** Dans les Dix commandements que Moïse aurait reçu de Dieu, il est écrit :

« Souviens-toi du jour du repos, pour le sanctifier.

« Mais le septième jour est le jour du repos de l'Éternel, ton Dieu : tu ne feras aucun ouvrage [...]. »

Exode XX (8,10)

RITE

© Ilya Genkin/Shutterstock

■ **Doc. 5.2** Des catholiques observent un jour de repos et de prière et assistent à la messe du dimanche, jour du Seigneur.

RÈGLE

Collection particulière.

■ **Doc. 5.3** Les catéchismes sont des ouvrages rédigés par les Églises chrétiennes. Ils enseignent aux fidèles ce qu'ils doivent croire ainsi que les règles à suivre pour vivre chrétiennement. Ils incluent les Dix commandements.

Les textes et les récits des diverses traditions religieuses proposent des pistes de réflexion et de réponses à des questions d'ordre spirituel. Pourquoi sommes-nous sur terre ? Pourquoi le mal et la souffrance existent-ils ? La mort correspond-elle à la fin de l'existence ?

LES RÉCITS DANS LES TRADITIONS RELIGIEUSES

Presque toutes les traditions religieuses ont des récits qui leurs sont propres. Souvent, ces récits servent à imager, à décrire ou à indiquer les enseignements à observer. On trouve notamment dans ces récits les origines ou les explications relatives à des rites ou à des règles religieuses. C'est pourquoi on associe les récits, les rites et les règles, ces éléments fondamentaux des traditions religieuses.

En général, un récit réunit les caractéristiques suivantes :

- Il met souvent en scène un ou plusieurs personnages extraordinaires : dieux, héros, prophètes, forces du bien ou du mal, etc.

- Il relate souvent des actions fabuleuses telles que des créations ou des changements dans l'ordre des choses.

- Il véhicule notamment des valeurs qui devraient inspirer ceux qui vivent de cette culture.

- Les actions se déroulent souvent dans un temps qui n'est pas le nôtre, par exemple, au début ou à la fin des temps, et le récit ne se préoccupe pas de la réalité historique de ce qu'il raconte.

LES TYPES DE RÉCITS

Les livres sacrés des traditions religieuses contiennent des récits de différents types : récits de création de l'Univers et de l'être humain, récits fondateurs, récits de création des divinités, récits de régénération et autres. Dans certaines traditions, comme dans la plupart des spiritualités autochtones, les récits sont transmis oralement de génération en génération.

Les récits de création de l'Univers et de l'être humain

Parmi tous les récits proposés par les religions, il y a ceux qui expliquent l'origine de l'Univers. Même s'ils varient d'une religion à une autre, ce sont des récits que l'on rencontre dans toutes les traditions religieuses, sous forme orale ou écrite. Cependant, cela ne veut pas dire que ces récits signifient la même chose pour chaque tradition. Dans les religions monothéistes, les récits de création de l'Univers ou de l'humanité se trouvent généralement dans des textes révélés. Les textes révélés sont des textes transmis par Dieu à un prophète. Dans d'autres traditions, comme dans l'hindouisme par exemple, c'est dans les Purana, des recueils de traditions anciennes variées, que l'on trouve les récits les plus complets concernant la création et la destruction de l'Univers, puis sa reconstruction.

POUR EN SAVOIR +

Symbole de renouveau, de recommencement et de renaissance, l'œuf symbolise aussi la création de l'Univers.

Wikipedia

■ **Doc. 5.4** On a reproduit sur cet œuf le texte relatant la Création, tiré de la Bible hébraïque.

POUR EN SAVOIR +

Il existe plusieurs symboles liés à la conception de l'Univers, et ceux-ci varient selon les traditions culturelles ou religieuses.

Le symbole oriental du *taijitu* est assez connu. Il représente la complémentarité  ■ **Doc. 5.5** du yin et du yang, propre à toute chose et à tout être vivant. Le yin (noir) est associé à la Lune et évoque la composante féminine, alors que le yang (blanc) est associé au Soleil et évoque la composante masculine.

© Michael D. Brown/Shutterstock

Des récits, des rites et des règles

Quand ils commencent par une minuscule, les noms « juif » et « juive » désignent les gens qui pratiquent le judaïsme. Avec une majuscule initiale, ils désignent les gens appartenant au peuple juif. Les individus de descendance juive sont généralement restés fidèles au judaïsme, ce qui explique la confusion suscitée par l'utilisation de la majuscule et de la minuscule.

L'hébreu est la langue parlée et écrite des Juifs. Le terme « hébraïque » est l'adjectif correspondant à ce mot. On nomme Israéliens les habitants de l'État d'Israël contemporain.

Certains de ces récits de création peuvent paraître aujourd'hui un peu étranges. Il faut se souvenir que les divinités auxquelles les gens croient ont aussi joué un grand rôle dans les récits de création. De plus, les connaissances ont grandement évolué au fil des époques. Le but d'un récit de création dans les religions est d'apprendre aux gens de telle ou telle culture à vivre dans le monde, à bien se situer dans les valeurs caractéristiques de ce monde.

La Création selon les trois religions monothéistes

Dans les écrits sacrés des juifs, des chrétiens et des musulmans, on peut lire des récits très semblables de la création du monde. Selon la Bible des juifs et des chrétiens, Dieu a créé le monde en sept jours, soit six jours suivis d'un jour de repos.

- Le premier jour, Dieu créa la lumière.
- Le deuxième jour, il créa le ciel et les océans.
- Le troisième jour, il créa les continents et les espèces végétales.
- Le quatrième jour, il créa les corps célestes.
- Le cinquième jour, il créa les animaux marins et les animaux aériens.
- Le sixième jour, Dieu créa les animaux terrestres, et il créa l'homme à son image, mâle et femelle, il les créa.
- Le septième jour, il se reposa.

Pour les musulmans aussi, selon le Coran, il a fallu six jours à Dieu pour créer le ciel et la terre, ainsi que tout ce qui se trouve entre les deux.

Nous verrons, dans les prochaines sections du présent chapitre, comment certains rites et certaines règles découlent de ce récit propre aux traditions chrétiennes, juives et musulmanes.

Doc. 5.6 Cette scène, appelée la *Création d'Adam*, a été peinte par Michel-Ange au XVIe siècle sur la voûte de la chapelle Sixtine, au Vatican.

Un peu d'histoire
La Bible

Les plus anciens textes connus à l'origine de la Bible remonteraient au XIe siècle avant l'ère chrétienne. C'est au Ier siècle de l'ère chrétienne qu'aurait été achevée ce qu'on appelle généralement aujourd'hui la « Bible ». La plupart des textes originaux sont en hébreu, quelques-uns sont en grec et d'autres en araméen, une langue parlée en Mésopotamie et en Palestine. La Bible a été traduite en plus de 2000 langues. C'est le livre le plus diffusé dans toute l'histoire de l'humanité. La Bible a été le premier livre à sortir des presses de l'inventeur de l'imprimerie, Gutenberg, en 1456.

Doc. 5.7 Une page de la Bible de Gutenberg.

Un peu d'histoire

Les premiers récits de Création

Certains des récits les plus anciens sur la création de l'Univers proviennent de la Mésopotamie. Cette contrée est située entre deux fleuves, le Tigre et l'Euphrate, sur un territoire correspondant approximativement à l'Irak actuel. Les récits mésopotamiens expliquant l'origine du monde apparaissent il y a environ 5000 ans.

Selon un de ces récits, il y a deux divinités à l'origine du monde : Apsu et Tiamat. Apsu est une divinité mâle, l'eau douce, alors que Tiamat est une divinité femelle, l'eau salée, représentée par un dragon femelle. C'est de l'union de ces deux divinités que naîtront tous les autres dieux. Par la suite, un de ces dieux, Marduk, tue Tiamat et coupe son corps en deux morceaux avec lesquels il forme le ciel et la terre. C'est avec la glaise et le sang de Kingu, le nouvel époux de Tiamat, que l'humanité aurait été créée.

Wikipedia

Doc. 5.8 Selon le récit mésopotamien, la création du monde découlerait du combat entre Tiamat (à gauche) et Marduk (à droite).

L'origine du monde selon les traditions spirituelles amérindiennes

Dans les traditions spirituelles amérindiennes, la transmission des récits est avant tout orale. On y dit que le créateur de l'Univers est le Grand Esprit. Selon la nation et la langue, on le nomme différemment : par exemple, Wakan-Tanka chez les Amérindiens des plaines ou Manitou. Les récits qui portent sur l'origine du monde sont nombreux et variés. On dit parfois que ce sont des animaux comme le corbeau qui ont créé le monde et les humains. Voici un de ces récits amérindiens de l'origine du monde.

> Une jeune Huronne-Wendate vivait avec les siens de l'autre côté du ciel. Un jour, alors qu'elle attendait un enfant et cherchait des racines pour guérir son mari malade, elle tomba soudain dans un trou du ciel et fut sauvée de la noyade par deux grandes oies sauvages. Les oies confièrent la jeune femme à la Grande Tortue qui demanda aux plus courageux des animaux de plonger au fond de l'océan pour en rapporter des mottes de terre. Cette terre fut déposée avec soin sur le dos de la Grande Tortue et rapidement une grande île pleine de verdure se forma. La jeune femme s'y installa et donna naissance à un fils. Depuis, lorsque la Grande Tortue bouge, la terre tremble.

Illustration d'Irina Pustzai

Doc. 5.9 La jeune femme fut sauvée de la noyade par deux grandes oies sauvages.

Doc. 5.10 Un tableau de la traditionnelle crèche de Noël, où on voit l'Enfant Jésus qui est né dans une étable, entouré de sa mère, Marie, et de Joseph, l'époux de Marie.

Abraham : figure biblique et coranique, ancêtre commun aux trois grandes religions monothéistes : le judaïsme, le christianisme et l'islam.

Canaan : terre promise par Dieu aux Hébreux, correspondant plus ou moins aux États d'Israël, du Liban, de la Syrie, de la Transjordanie et de la Palestine d'aujourd'hui.

Doc. 5.11 La Torah est le texte fondateur du judaïsme. Traditionnellement, il est écrit à la main sur des rouleaux. Ces rouleaux peuvent être rangés dans un étui vertical (à gauche sur la photo).

Les récits fondateurs

Les récits fondateurs relatent l'origine ou l'histoire des fondements d'une tradition religieuse. Selon les cultures, il arrive qu'on commémore, lors de célébrations, des événements particuliers décrits dans ces récits. Certains rites leur sont associés.

Le christianisme

Jésus le Christ, est reconnu par les chrétiens comme le fondateur du christianisme. À Noël, chaque année, on célèbre sa naissance. Voici le récit de la naissance de Jésus.

« Joseph aussi monta de Galilée, de la ville de Nazareth, en Judée, à la ville de David, qui s'appelle Bethléem afin de se faire recenser avec Marie, son épouse, qui était enceinte. Or il advint, comme ils étaient là, que les jours furent accomplis où elle devait enfanter. Elle enfanta son fils premier-né, l'enveloppa de langes et le coucha dans une crèche, parce qu'ils manquaient de place dans la salle. Il y avait dans la même région des bergers qui vivaient aux champs et gardaient leurs troupeaux durant les veilles de la nuit. L'Ange du Seigneur se tint près d'eux et la gloire du Seigneur les enveloppa de sa clarté. L'Ange leur dit : Soyez sans crainte, car voici que je vous annonce une grande joie, qui sera celle de tout le peuple : aujourd'hui vous est né un Sauveur, qui est le Christ Seigneur, dans la ville de David. Et ceci vous servira de signe : vous trouverez un nouveau-né enveloppé de langes et couché dans une crèche. »

Évangile selon Saint Luc II (4-12)

Le judaïsme

Selon le récit biblique, il y a environ quatre mille ans, Dieu conclut une Alliance avec le prophète **Abraham**. Il lui promit un pays, **Canaan**, et une large descendance. L'Alliance entre Dieu et Abraham est le fondement du judaïsme. En voici le récit.

« Dieu dit à Abram : « Quitte ton pays, ta parenté et la maison de ton père, pour le pays que je t'indiquerai. Je ferai de toi un grand peuple, je te bénirai, je magnifierai ton nom ; sois une bénédiction ! Je bénirai ceux qui te béniront, je réprouverai ceux qui te maudiront. Par toi se béniront tous les clans de la terre. » Abram partit, comme lui avait dit Dieu. Ils se mirent en route pour le pays de Canaan et ils y arrivèrent. Dieu apparut à Abram et dit : « C'est à ta postérité que je donnerai ce pays. » Et là, Abram bâtit un autel à Dieu qui lui était apparu. Il y eut une famine dans le pays et Abram descendit en Égypte pour y séjourner, car la famine pesait lourdement sur le pays. »

« Dieu lui apparut et lui dit : Je suis El Shaddai. J'institue mon alliance entre moi et toi : tu deviendras père d'une multitude de nations et ton nom sera Abraham. »

Genèse XII (1-5, 7, 10), XVII (1-2, 4-5)

CHAPITRE 5

L'islam

Le prophète Muhammad est celui à qui Dieu a révélé le **Coran** par l'entremise de l'archange Gabriel (« Djibril » en arabe). L'anniversaire de la naissance du prophète Muhammad donne lieu à une grande fête, **Id al-Mawlid**. Voici comment le Coran a été révélé au prophète.

> La révélation a commencé dans une grotte où le prophète avait coutume de se retirer pour méditer. L'archange Gabriel lui est apparu, et lui a communiqué les premiers versets du Coran. La révélation a duré 23 ans. Le dernier verset révélé est : « Aujourd'hui, J'ai parachevé pour vous votre religion, et accompli sur vous Mon bienfait. Et J'agrée l'Islam comme religion pour vous. ».
>
> Coran (5.3)

Le Coran est le livre fondateur de l'islam. Il comprend 114 chapitres, qu'on appelle « sourates » et plus de 6000 versets, les « *ayat* ». Ce livre sacré occupe une place importante dans la vie quotidienne des musulmans.

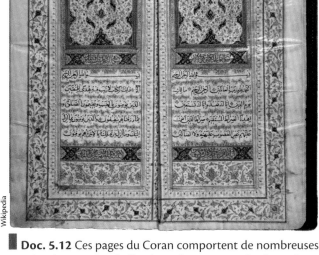

Wikipedia

■ **Doc. 5.12** Ces pages du Coran comportent de nombreuses enluminures, c'est-à-dire de petits textes ou dessins peints.

Ascèse : ensemble d'exercices de pénitence et de privation qu'une personne s'impose pour atteindre la perfection dans le domaine religieux ou spirituel.

Le bouddhisme

L'éveil du Bouddha est le fondement du bouddhisme. Une des fêtes les plus importantes de la religion bouddhique est la fête de **Wesak**, nommée aussi « Jour du Bouddha », où il arrive que l'on célèbre aussi sa naissance, son éveil et sa mort. Voici l'histoire de l'éveil du Bouddha.

> Siddhartha Gautama était un prince indien qui vécut vers 560-480 avant l'ère chrétienne. À sa naissance, un devin avait prédit qu'il serait empereur de l'Univers, ou bouddha, c'est-à-dire un être pleinement éveillé. Siddhartha Gautama vivait une jeunesse dorée au palais de son père. Il voulait cependant comprendre le sens de la vie et de la mort, de la maladie et de la souffrance. Il quitta donc le palais et commença une **ascèse** extrême, en se privant de nourriture et de sommeil, afin de parvenir à l'éveil. Très faible et presque mourant, il fut secouru par une paysanne. Sa vigueur retrouvée, il s'installa sous un arbre et entra en méditation. C'est sous cet arbre qu'il atteint finalement l'éveil et devint le Bouddha, l'« Éveillé ». Durant les semaines suivantes, la divinité Brahma se manifesta et lui demanda d'enseigner aux hommes l'expérience qu'il venait de vivre. Il se mit alors à prêcher la loi de l'Univers ou Dharma. Il consacra le reste de sa vie à enseigner aux autres comment échapper à la souffrance. Ses enseignements sont consignés sur des dizaines de milliers de pages.

Wikipedia

■ **Doc. 5.13** Les Sutras sont les sermons du Bouddha. Un Sutra très connu est le Sutra du diamant. Il a été traduit en chinois vers 400, et en tibétain à la fin du IXᵉ siècle. Un des panneaux représente un hommage au Bouddha.

© Vishal Shah/Shutterstock

Doc. 5.14 Ganesha, le dieu de la sagesse, de l'intelligence, de l'éducation et de la prudence, le patron des écoles et des travailleurs du savoir.

Commémoration : célébration d'un événement.

Résurrection : retour de la mort à la vie.

Sépulcre : tombeau.

Des récits de création des divinités

Plusieurs traditions religieuses comportent des récits de création de divinités. Il s'agit souvent de récits relatant, sous forme de mythe ou de légende, la naissance d'une divinité propre à cette culture. Dans la tradition hindoue par exemple, et selon les courants de cette tradition, plusieurs divinités sont vénérées. Ganesha, le dieu à tête d'éléphant notamment, est l'un des dieux les plus connus. Plusieurs récits racontent la naissance de Ganesha. Voici l'un d'eux.

> La déesse Parvati aurait créé Ganesha en insufflant la vie à une boule de cire d'oreilles. Elle en fait un petit gardien. Un jour que Parvati se baignait, Ganesha montait la garde devant la maison pour la protéger. De retour d'un long voyage, Shiva, l'époux de Parvati, se fait interdire l'entrée de sa propre maison par un beau jeune homme. Il est furieux et tranche alors la tête du gardien Ganesha. Parvati est inconsolable de la perte de celui qu'elle considère comme son fils. Pour se faire pardonner, Shiva lui promet de donner à Ganesha la tête de la première créature vivante qu'il verra. Et il voit un éléphant. Ganesha naît donc au terme d'une double intervention, celle de Parvati d'abord et ensuite celle de Shiva. À partir de ce jour, Shiva reconnaît sa paternité à l'égard de Ganesha. C'est pourquoi on dit que Ganesha est le fils de Shiva et de Parvati.

Des récits de régénération

Les récits de régénération sont ceux qui parlent de recommencement, de renaissance, de renouveau. Voici un des récits de régénération les plus connus, la **résurrection** du Christ dont la **commémoration** a lieu à Pâques, la fête religieuse la plus importante du christianisme.

> Après sa mort sur la croix, Jésus a été mis dans un tombeau. Comme Il avait annoncé qu'Il ressusciterait le troisième jour, Ponce Pilate fit garder le tombeau et fit sceller la grosse pierre qui le fermait.

> « Après le jour du sabbat, comme le premier jour de la semaine commençait à poindre, Marie de Magdala et l'autre Marie vinrent visiter le **sépulcre**. Et voilà qu'il se fit un grand tremblement de terre : l'Ange du Seigneur descendit du ciel et vint rouler la pierre, sur laquelle il s'assit. Il avait l'aspect de l'éclair, et sa robe était blanche comme neige. À sa vue, les gardes tressaillirent d'effroi et devinrent comme morts. Mais l'Ange prit la parole et dit aux femmes : « Ne craignez point, vous : je sais bien que vous cherchez Jésus, le Crucifié. Il n'est pas ici, car il est ressuscité comme il l'avait dit. Venez voir le lieu où il gisait, et vite allez dire à ses disciples : Il est ressuscité d'entre les morts. Voilà, je vous l'ai dit. » Quittant vite le tombeau, tout émues et pleines de joie, elles coururent porter la nouvelle à ses disciples. Et voici que Jésus vint à leur rencontre : « Je vous salue », dit-il. Et elles de s'approcher et d'étreindre ses pieds en se prosternant devant lui. »

> Évangile selon Saint Matthieu XXVIII (1-10)

Doc. 5.15 La résurrection du Christ, vitrail de la cathédrale luthérienne de Ulm en Allemagne.
Joachim Köhler/Wikimedia

5.3 Les rites

Les rites font partie intégrante de la vie et des traditions religieuses. Quelle est la fonction d'un rite ? Quand les premiers rites sont-ils apparus ?

DES GESTES CHARGÉS DE SENS

Les rites sont l'ensemble des cérémonies en usage dans une religion. Les cérémonies sont des éléments très importants des religions. Elles prennent diverses formes et sont en général soumises à des règles précises. Elles varient énormément d'une tradition religieuse à l'autre. Les rites découlent généralement des récits. Ils peuvent servir à commémorer les événements marquants relatifs aux différentes traditions religieuses ou à souligner, d'une manière rituelle, certains moments de la vie des personnages fondateurs. Les fonctions des rites sont de réactualiser le récit dont ils sont issus, de retracer l'origine de ce récit, de retrouver l'expérience du sacré et de communiquer avec le divin.

LES TYPES DE RITES

Les principaux types de rites sont, par exemple, les rites funéraires, initiatiques, de purification, sacrificiels ou encore les rites associés à des pratiques religieuses.

Les rites funéraires

Les rites funéraires englobent tout ce qui touche la mort des individus, y compris les cérémonies destinées à rappeler le souvenir d'une personne décédée. Ce sont les plus anciens rites connus.

On a découvert des **sépultures** qui datent de la Préhistoire. On a ainsi appris que *Homo neanderthalensis* et *Homo sapiens* enterraient leurs morts il y a plus de 100 000 ans. Dans certaines tombes, on a trouvé divers objets, comme des outils de silex, enfouis avec les défunts.

Sépulture : lieu où est déposé le corps d'un défunt.

Doc. 5.16 Au début du XXe siècle, on a découvert près du village de la Chapelle-aux-Saints, en France, la sépulture d'un *Homo neanderthalensis*. Cette espèce aurait vécu entre 120 000 et 30 000 ans avant

© Jacques Vainstain

l'ère chrétienne. Malgré des ressemblances évidentes, les scientifiques ne s'entendent pas sur la parenté directe entre *Homo neanderthalensis* et *Homo sapiens*, l'espèce la plus récente du genre *homo*, c'est-à-dire l'être humain moderne.

POUR EN SAVOIR +

Quelques millénaires avant l'ère chrétienne, l'Égypte ancienne pratiquait déjà des rites funéraires relativement complexes. On avait mis au point des techniques d'embaumement très sophistiquées. Une fois embaumé, le corps du défunt était mis dans un sarcophage. Parfois, on déposait ensuite ce cercueil dans une pyramide, qui tenait lieu de tombeau. Les sarcophages étaient en forme de barque, symbole du passage de la personne décédée vers l'immortalité. Ci-dessous, le sarcophage du pharaon Toutankhamon, mort en 1327 avant l'ère chrétienne. Sa tombe, qui est l'une des seules sépultures à avoir été découverte intacte, contenait un fabuleux trésor.

Doc. 5.17 Le sarcophage de Toutankhamon.
36965810 © Jupiter Images et ses représentants. Tous droits réservés

Des récits, des rites et des règles

Sudation : transpiration.

Baptême : rite religieux par lequel un individu devient un chrétien.

Rituel : ensemble de règles, de rites.

Orthodoxe : se dit des Églises chrétiennes d'Orient qui n'admettent pas l'autorité du pape de Rome. Les Églises catholiques et orthodoxes se sont séparées en 1054.

Abstinence : fait de se priver de certains aliments, de certaines activités pour des motifs religieux ou médicaux.

Repentance : regret sincère du mal qu'on a fait.

Les rites initiatiques

Les rites de passage, ou **rites initiatiques**, servent à marquer les étapes de la vie. La bar-mitsva juive, par exemple, souligne le moment où les garçons, à l'âge de 13 ans, prennent en charge leurs obligations religieuses qui les guideront vers l'autonomie. Une cérémonie semblable, la bat-mitsva, existe aussi pour les filles lorsqu'elles ont 12 ans.

Les rites de purification

Les rites de purification sont très répandus dans toutes les traditions religieuses. L'eau est généralement considérée comme un symbole de pureté : grâce à elle, on se débarrasse de tout ce qui est mauvais sur le plan spirituel. La plupart des Amérindiens, par exemple, construisent des tentes de **sudation** au centre desquelles se trouvent des pierres brûlantes qu'on arrose afin de produire de la vapeur pour purifier le corps et l'esprit des participants.

Un exemple de rite de purification dans la tradition chrétienne est le **baptême** qui est l'objet d'une cérémonie importante, mais son **rituel** de célébration n'est pas partout le même. Dans certaines confessions chrétiennes, on asperge d'eau l'individu baptisé, alors que dans d'autres, on l'immerge totalement. Généralement, on baptise les enfants à la naissance. Mais saviez-vous que, dans certaines Églises protestantes, les gens sont baptisés seulement lorsqu'ils ont l'âge de décider eux-mêmes s'ils veulent devenir chrétien ?

Le pardon

Les temps d'arrêt prévus pour demander pardon de ses fautes à Dieu sont aussi des rites de purification. Voici comment on le fait dans les trois principales religions monothéistes.

Pour les catholiques et les **orthodoxes**, il y a le **Carême**, une période de jeûne et **d'abstinence** qui dure quarante jours et qui aide les croyants à se repentir de leurs fautes. Le Carême sert de préparation à la fête de Pâques et se termine le jour de Pâques. Les protestants demandent collectivement pardon à Dieu chaque dimanche au cours du culte. Le pasteur leur annonce ensuite le pardon au nom de Dieu.

Après dix jours de **repentance** commencés lors de Rosh Hashanah, les juifs arrivent au **Yom Kippour**, la journée du grand Pardon. Ce jour-là, ils jeûnent et prient à la synagogue. Ils portent des vêtements blancs qui symbolisent la pureté.

Dans la religion islamique, la nuit du pouvoir (laylat al-qadr) se célèbre quelques jours avant la fin du mois de **ramadan**. C'est la nuit où le Coran fut révélé en entier au prophète Muhammad. Les gens passent la nuit en prière et en profitent pour se pardonner mutuellement.

> «Nous l'avons certes, fait descendre (le Coran) pendant la nuit d'Al-Qadr.
> Et qui te dira ce qu'est la nuit d'Al-Qadr?
> La nuit d'Al-Qadr est meilleure que mille mois.
> Durant celle-ci descendent les Anges ainsi que l'Esprit, par permission de leur Seigneur pour tout ordre.
> Elle est paix et salut jusqu'à l'apparition de l'aube.»
>
> Coran (97, 1-5)

Les rites sacrificiels

Les rites sacrificiels, du mot «sacrifice», existent dans de nombreuses traditions religieuses: on offre à Dieu ou à une divinité la vie d'un animal, de façon réelle ou symbolique. Dans la religion catholique, on **commémore** le sacrifice du Christ sur la croix par la messe.

Les rites associés à des pratiques religieuses

Les célébrations sont étroitement liées aux rites et règles des traditions religieuses. Lors des grandes fêtes rituelles, on commémore des événements marquants, on célèbre la naissance des fondateurs. Voici quelques-unes de ces fêtes qui ont beaucoup d'importance pour bien des gens.

Des événements marquants

Pour les chrétiens, **Pâques** est la fête religieuse la plus importante. Ils y commémorent la mort et la résurrection de Jésus le Christ. Jésus est ressuscité trois jours après sa mort. Les Églises chrétiennes ont fixé la date de Pâques au premier dimanche après la pleine lune du printemps pour la célébration de cet événement. La fête de Pâques donne aussi lieu à de grandes réjouissances familiales. Au cours du repas traditionnel, on mange souvent de l'agneau. On offre aussi du chocolat et des œufs décorés.

Ramadan: le 9e mois du calendrier musulman durant lequel les musulmans jeûnent tous les jours entre le lever du jour et le coucher du soleil. C'est un mois de prières et d'aumônes faites aux pauvres.

Commémorer: rappeler le souvenir d'une personne, d'un événement.

© Sergey/Shutterstock

■ **Doc. 5.20** Jésus crucifié.

La Passion de Jésus de Nazareth

Jésus, qui s'est sacrifié pour sauver l'humanité, connaît une fin de vie tragique. Il est accusé de blasphème et comparaît devant Ponce Pilate, le procurateur de la province romaine de Judée. Comme c'est la Pâque juive, Pilate offre de relâcher un prisonnier: Jésus ou Barabbas. La foule choisit Barabbas. Jésus est alors condamné à mort. Il est victime de moqueries, il est flagellé et couronné d'épines. On le force à marcher en portant la croix sur laquelle il sera mis à mort. Il est crucifié vraisemblablement le 7 avril de l'an 30. Sur la croix on avait inscrit: Jésus de Nazareth, roi des Juifs.

■ **Doc. 5.21** Les aliments symboliques du seder sont le pain azyme, l'œuf, l'eau salée, les herbes amères, une pâte de noix et de dattes et un os d'agneau qui rappelle le premier agneau pascal.

La Mecque : ville d'Arabie Saoudite, capitale religieuse de l'islam.

Procession : marche religieuse accompagnée de chants et de prières.

Adorer : rendre un culte à une divinité.

■ **Doc. 5.22** Les mains jointes sont un symbole de prière ancien et très répandu.

Pour les juifs, **Pessah**, que l'on appelle aussi Pâque, est la plus importante célébration. Cette fête commémore la fuite d'Égypte, sous la conduite de Moïse, du peuple hébreu qui y vivait en quasi-esclavage au temps du pharaon Ramsès II. La fête dure huit jours et son moment le plus marquant est le *seder*, c'est-à-dire le repas pascal. Au cours de ce repas, les juifs mangent des aliments symboliques.

Dans la tradition musulmane, la fin du jeûne du ramadan est appelée **Id el Seghir** (Petite fête) ou encore Id el Fitr (Fête de la rupture). Puis, il y a **Id-al-Adha** (ou Id-al-Kebir), c'est-à-dire la Grande fête, où, partout, les musulmans sacrifient un mouton ou une chèvre en mémoire d'Abraham qui avait consenti à sacrifier son fils à Dieu. Ensuite, on distribue la viande aux plus démunis. Cette fête correspond également au moment du pèlerinage à **La Mecque**.

La naissance des fondateurs

Le jour de **Noël**, les chrétiens célèbrent la naissance de Jésus le Christ. Ils assistent à des célébrations, par exemple à la messe de minuit, réveillonnent en famille, décorent et illuminent leurs maisons et échangent des cadeaux. Noël est un congé férié dans presque tous les pays occidentaux.

C'est lors de **Id al-Mawlid** que la majorité des musulmans célèbrent la naissance du prophète Muhammad. Certains d'entre eux profitent de cette journée pour décorer les maisons et partager de la nourriture avec les plus démunis. Tout au long de la journée, ils prient et chantent au nom du prophète. Ils peuvent aussi organiser des **processions**.

La fête de **Wesak**, nommée aussi « Jour du Bouddha », est la plus importante de la religion bouddhique. Au Sri Lanka par exemple, il arrive qu'on y célèbre ensemble la naissance, l'éveil et la mort du Bouddha. Au cours de cette journée de réjouissance, les bouddhistes illuminent les maisons, les temples et même les cours d'eau en y plaçant des lampes flottantes.

Les rites de prière

Les rites de prière sont probablement ceux qu'on retrouve le plus souvent dans toutes les traditions religieuses. La prière est une communication spirituelle avec le divin ou l'ultime. On peut **adorer** un dieu ou des divinités, les remercier, leur demander d'intervenir dans notre monde. La prière prend diverses formes, allant d'une suite de formules consacrées à la méditation libre. On peut prier en silence, à voix basse, en chantant, seul ou en groupe, dans les lieux de culte ou à la maison, partout.

Les remerciements aux divinités

À mesure qu'évoluaient les premières croyances religieuses, les êtres humains ont ressenti le besoin de remercier leurs divinités pour les bienfaits accordés. On appelle « Action de grâce » toute célébration liée à ces remerciements. En Amérique du Nord, l'**Action de grâce** est une fête d'abord civile, mais les chrétiens lui attribuent généralement un caractère religieux. Au Canada, c'est un explorateur britannique, Martin Frobisher, qui célèbre l'Action de grâce pour la première fois au XVIᵉ siècle. À la même époque, les colons français organisent des fêtes pour remercier Dieu de ses bienfaits. En 1957, le Parlement du Canada établit que cette fête sera célébrée le deuxième lundi d'octobre.

Dans la religion juive, la fête de **Soukkôth**, aussi nommée fête des Cabanes, est célébrée depuis plusieurs millénaires. Les juifs remercient Dieu pour ses dons et se rappellent la longue marche dans le désert où ils vivaient sous des tentes après s'être enfuis d'Égypte, conduits par Moïse. Pour symboliser la fragilité des tentes, il est d'usage de construire des cabanes dans la cour arrière des maisons ou sur les balcons où les familles prennent tous leurs repas. Les nombreuses festivités se font sous le signe de la joie.

L'année nouvelle

Souvent les rites religieux découlent de fêtes non religieuses. Par exemple, pour la plupart des gens, croyants ou athées, et peu importe leur calendrier, le premier jour de l'année en est un qui sort de l'ordinaire. Il symbolise le changement, le renouveau. C'est souvent une fête à la fois civile et religieuse. Dans la Rome antique, on dédiait le premier jour de l'année à Janus, le dieu protecteur des portes, des entrées et des passages. D'ailleurs, le mot « janvier » est dérivé du nom de ce dieu. Au Québec, comme ailleurs en Occident, les célébrations sont plutôt civiles que religieuses. Les festivités commencent la veille, le 31 décembre. Les gens fêtent, souvent en prenant un repas tardif, sous le signe de la joie. Cette fête est une occasion de grandes réunions familiales ou amicales, et on s'échange des vœux pour l'année qui commence.

Doc. 5.23 Au repas traditionnel de l'Action de grâce en Amérique du Nord, on mange de la dinde.

Doc. 5.24 Une soukkah installée sur un balcon en pleine ville.

Doc. 5.25 Dans de nombreux pays, on souligne l'arrivée de la nouvelle année par un feu d'artifice.

Doc. 5.26 Un rabbin soufflant dans un schofar.
© Howard Sandler/Shutterstock

Pénitence : profond regret, remords d'avoir offensé Dieu, accompagné de l'intention de réparer ses fautes et de ne plus recommencer.

Un peu d'histoire

Le calendrier utilisé au Québec et presque partout dans le monde est le calendrier grégorien. Il tire son nom du pape Grégoire XIII, qui l'a imposé en 1582 pour remplacer le calendrier julien (du nom de Jules César), jugé trop imprécis. Au fil des siècles, le calendrier grégorien a perdu son caractère religieux pour devenir un calendrier civil.

Dans le judaïsme, la célébration du jour de l'An se nomme **Rosh Hashanah**. C'est en même temps l'anniversaire de la création du monde et du jugement divin. Le miel est à l'honneur pendant le repas traditionnel : il symbolise la douceur qu'on souhaite pour l'année à venir. Les nombreuses prières reliées à l'ensemble des fêtes juives, sont regroupées dans un livre, le Mahzor. À la synagogue, on entend le son du schofar, un instrument à vent antique fait d'une corne de bélier, comme un appel à la **pénitence** ou au repentir.

Songkran marque le Nouvel An chez les Thaïs de culture bouddhique. Cette fête se célèbre vers la mi-avril et se déroule sous le signe de la joie et de la purification. À Chiang Mai, en Thaïlande, les gens profitent de l'occasion pour s'arroser joyeusement dans les rues.

La nouvelle année pour les musulmans commence avec la commémoration de l'émigration du prophète Muhammad de La Mecque à Médine en 622, année du début de l'ère musulmane, qu'on appelle « hégire ». Il n'y a pas, à proprement parler, de festivités associés à cette date.

POUR EN SAVOIR +

Doc. 5.27 Ce dragon typique du Nouvel An chinois est un symbole de chance en Asie. Le calendrier chinois est luni-solaire et la nouvelle année commence entre le 21 janvier et le 20 février du calendrier grégorien. Les festivités du Nouvel An s'étalent sur plusieurs jours en Chine et dans de nombreux autres pays d'Asie. Les bouddhistes ont l'habitude d'aller se recueillir dans un lieu de culte pour attirer sur eux la chance. Les communautés chinoises et vietnamiennes du monde entier soulignent cette fête.
©TAOLMOR/Shutterstock

On sait que toutes les traditions religieuses comportent des règles.
Mais à quoi servent ces règles ? D'où viennent-elles ? Sont-elles
encore nécessaires de nos jours ?

UN APERÇU DES RÈGLES

Les règles sont des normes de comportement à respecter. La plupart d'entre elles sont tirées des textes sacrés ou de l'interprétation de ces textes, c'est-à-dire la façon dont l'autorité religieuse comprend ces textes. Pour parler de ces règles, on utilise les mots « prescription » et « commandement ». Une prescription exprime de façon précise et détaillée un comportement à adopter. Un commandement rend compte, de manière peut-être plus générale, d'une ligne de conduite à suivre. Dans les deux cas, ce sont des textes établis par l'autorité divine ou par les autorités religieuses.

LES TYPES DE RÈGLES

Les règles varient énormément d'une tradition religieuse à l'autre, par leur contenu, leur nombre et les rites qui y sont liés. Chaque religion possède ses guides de conduite qui permettent aux croyants de distinguer le bien du mal. Les règles dictent les comportements et les interdictions religieuses à observer et véhiculent les valeurs de la religion. Elles indiquent aux membres d'une communauté religieuse le chemin à suivre pour atteindre le bonheur spirituel et pour vivre en harmonie avec le divin. Les règles servent aussi de guide lors de la pratique des rites qui eux-mêmes découlent des récits. Il peut s'agir, entre autres, de règles relatives à des devoirs sociaux et religieux, de règles relatives à des comportements familiaux, amoureux, vestimentaires et alimentaires.

Règles relatives à des devoirs sociaux et religieux

Dans les trois principales religions monothéistes, la règle fondamentale est, par définition, l'affirmation de l'existence d'un dieu unique et l'adoration de ce seul dieu, à l'exclusion de toute autre divinité. Ces trois religions prescrivent, chacune à leur façon, ce qu'il faut croire et ne pas croire, ce qu'on doit faire et ne pas faire.

Pour ces règles générales, les juifs se réfèrent aux dix paroles de Dieu dans la Torah, que les chrétiens appellent les Dix commandements. Ces derniers se réfèrent aussi au **précepte** évangélique qui dit d'aimer son prochain comme soi-même. Le Coran contient les règles à suivre pour les musulmans. Dans l'ensemble, il s'agit le plus souvent de la mise en pratique de valeurs morales fondamentales. Par exemple, il est interdit de tuer, de **blasphémer**, de voler et de désirer le bien d'autrui. Selon les préceptes du judaïsme, de l'islam et du protestantisme, il est également interdit de représenter Dieu par des images ou des statues.

Doc. 5.28 Une bible portant la croix orthodoxe.
© Cononeer/Shutterstock

Précepte : énoncé qui exprime un enseignement, une règle ou une façon de faire.

Blasphémer : porter outrage au divin, au sacré, à la religion. Un blasphème peut aussi être une insulte à l'égard d'une personne respectable.

Doc. 5.29 Quelques religions donnent des responsabilités religieuses aux femmes, telles certaines Églises protestantes qui leur confient le rôle de pasteur.

Des récits, des rites et des règles

Doc. 5.30 La distribution de la sainte communion à Pâques sur la place Saint-Pierre à Rome.

Sacrement : rite religieux chrétien.

Mitsva (au pluriel : mitsvot) : mot hébreu signifiant « commandement » ou « prescription ». Le mot entre dans la construction du nom de rites prescrits dans le judaïsme : par exemple, bar-mitsva et bat-mitsva.

Édicter : prescrire sous forme de loi, de règlement.

Doc. 5.31 Des fidèles en prière au Mur de Jérusalem.

Le jour du repos et de la prière

Les textes sacrés commandent de consacrer une journée de la semaine à Dieu : le shabbat (samedi) chez les juifs et le jour du Seigneur (dimanche) chez les chrétiens. Chez les musulmans, tous les jours de la semaine sont consacrés à Dieu pour autant que le musulman lui adresse des prières cinq fois par jour. Le jour du vendredi est celui de la prière collective à la mosquée au moment de la prière du midi. C'est une obligation pour les hommes, mais il n'est pas interdit de travailler avant ou après la prière.

Le samedi, jour du shabbat, les juifs se réunissent à la synagogue pour y prier. Le rabbin préside la lecture de passages de la Torah. Le dimanche, les chrétiens catholiques et orthodoxes doivent aller à l'église pour assister à la messe dite par le prêtre qui fait un sermon, la plupart du temps inspiré par la Bible. Le **sacrement** de l'Eucharistie, qui commémore le sacrifice du Christ, fait partie de la messe. De leur côté, les protestants se rendent au temple pour le culte.

Les prescriptions et les interdictions liées à cette journée spéciale varient d'une religion à l'autre. Deux constantes se dégagent pour les chrétiens et les juifs : l'obligation de prier Dieu dans un lieu de culte et l'interdiction de travailler. Cette dernière obligation a cependant été abolie, pour les chrétiens, dans de nombreux pays depuis plusieurs années.

Les 613 mitsvot du judaïsme

Mitsva est un mot hébreu signifiant « prescription ». Le Livre des prescriptions établit la liste des 613 commandements mentionnés principalement dans la Torah :

- 248 mitsvot sont dites positives : elles concernent des choses qu'il faut faire ; ce nombre correspond au nombre de parties du corps humain. Par exemple, certaines mitsvot positives traitent de l'aide qu'on apporte aux personnes pauvres ;

- 365 mitsvot sont dites négatives : elles concernent des choses qu'on ne doit pas faire ; ce nombre renvoie au nombre de jours dans l'année. Certaines mitsvot négatives visent les aliments qu'on ne doit pas manger.

Les commandements de l'Église catholique

En plus des Dix commandements, les catholiques doivent respecter d'autres commandements que l'Église a **édictés** concernant la vie morale et chrétienne. Par exemple, les fidèles sont tenus d'assister à la messe le dimanche et les jours saints ; ils doivent se confesser et recevoir la communion une fois l'an à Pâques ; aux jours de pénitence proposés par l'Église, ils sont invités à jeûner, à moins consommer et à se préoccuper davantage des pauvres et des malades.

Les cinq piliers de l'islam

Le premier pilier de l'islam est la profession ou déclaration de foi des musulmans qui affirme que Dieu est unique et que Muhammad est Son messager. Le deuxième pilier est la prière, répétée cinq fois par jour à des moments précis. Le troisième est le jeûne du lever du jour au coucher du soleil, tous les jours du mois de ramadan. Le quatrième est l'aumône aux plus pauvres. Le cinquième est le pèlerinage à La Mecque au moins une fois dans sa vie. Ces cinq piliers représentent des rites et des règles pour les musulmans.

Doc. 5.32 La grande prière du vendredi à la mosquée.

Les règles alimentaires

La plupart des traditions religieuses ont des règles alimentaires, souvent inspirées des textes sacrés. Il s'agit surtout d'interdictions relatives à divers aliments ou à divers moments de l'année. Par exemple, ni les juifs ni les musulmans ne doivent consommer de la viande de porc :

> «Vous ne mangerez pas le porc, qui a la corne fendue et le pied fourchu, vous le regarderez comme impur. »

Torah (Lévitique XI, 7)

> «Vous sont interdits la bête trouvée morte, le sang, la chair de porc, la bête étouffée, la bête assommée - sauf celle que vous égorgez avant qu'elle ne soit morte. »

Coran (5.3)

L'interdiction de manger de la viande certains jours ou certaines périodes de l'année fait partie des règles de nombreux courants chrétiens. Les moines et les nonnes bouddhistes sont toujours végétariens ; les laïcs les plus conscients le sont, mais pas toujours.

Doc. 5.33 La kippa est une sorte de calotte qui ne couvre que le dessus de la tête. Dans la tradition juive, les hommes la portent en marque de respect envers Dieu.

Les règles vestimentaires

Les règles vestimentaires diffèrent d'une religion à l'autre, mais elles ont toutes en commun un concept de base : le respect de normes de décence ou de bienséance inspirées des textes sacrés. Par ailleurs, certaines règles vestimentaires ne touchent que les rites religieux.

DANS CE CHAPITRE, vous avez pu constater que les récits, les rites et les règles sont souvent indissociables et que ce sont des éléments essentiels des traditions religieuses.

Doc. 5.34 En Grèce, saint Nicolas est le saint patron du pays, des étudiants et des marins. Des prêtres orthodoxes, parés de leurs plus beaux habits, lui rendent hommage.
© Getty Images 79473282

Culture et société
Une fête de la lumière

Les Autochtones célèbrent l'arrivée du jour le plus long de l'année par une grande cérémonie spirituelle. Voici un compte rendu de cette fête.

« Le solstice d'été, c'est la fête de la lumière. Lors des cérémonies à cette occasion, nous accumulons une énergie qui nous accompagnera toute l'année. C'est le jour le plus long de tous, donc celui qui recèle le plus haut niveau d'énergie. Nous commençons comme d'habitude par nous purifier dans la tente de sudation. Vient ensuite la célébration du lever du soleil qui a lieu très tôt à cette époque de l'année, vers les quatre heures trente du matin. Après le lever du soleil, nous construisons un autel spécialement dédié à la Terre et nous chantons pour accueillir le solstice d'été.

Tous les préparatifs de la journée se font dans le silence. Nous demeurons tout le reste du temps dans une attitude réceptive pour absorber l'énergie du jour le plus long de l'année. Nous parlons donc le moins possible. Le soir venu, arrive le moment des partages et des réjouissances. Nous prions, rions, dansons et festoyons. C'est une fête spirituelle. L'une des danses que nous faisons évoque l'incarnation sur terre de l'énergie parfaite de l'Ungawi, le monde de la forme idéale. Nous prions pour que les êtres s'incarnent sur terre avec beaucoup de perfection.

Doc. 5.35 Le lever du soleil.

Autour de l'autel que nous avons dressé le matin, nous disposons nos offrandes pour tous les êtres, afin que les forces de la création puissent les aider à mieux s'incarner, à mieux manifester la perfection de leur esprit dans le monde physique. Le feu du solstice, qui brûlera toute la nuit, symbolise la grande force que nous avons accumulée pendant le jour. C'est un immense feu.

Chez les Amérindiens, chaque point cardinal représente une puissance spirituelle qui comporte de nombreux enseignements. Le solstice d'été est associé aux qualités du Sud. Le Sud et sa saison, l'été et sa journée, le solstice d'été, nous enseignent la sagesse d'accomplir nos œuvres et de mener nos projets à terme. C'est l'énergie de la réussite et de la croissance rapide. C'est la chaleur humaine, le rire, la joie, l'innocence, l'amour et toutes les qualités qui s'y rattachent. Nous y associons un animal, le coyote. Dans notre mythologie, cet animal joue des tours aux gens pour les obliger à apprendre, souvent malgré eux. Savoir rire de soi-même est une grande vertu : l'humour occupe une place stratégique dans notre spiritualité. Lorsque nous sommes de bonne humeur, nous risquons moins d'être malades. Et si nous savons rire de nous-mêmes, de nos erreurs, nous pourrons apprendre beaucoup plus rapidement. Nous avons un autre animal associé à l'été et au Sud : c'est la petite souris. Son rôle consiste à nous enseigner la confiance et l'innocence. Au Sud, les grands-mères dansent avec des paniers remplis de graines pour nous assurer un avenir plein d'abondance, d'amour et de compassion. »

Texte de l'écrivain Aigle Bleu

Doc. 5.36 Un coyote.

Doc. 5.37 Le feu du solstice d'été.

Ici et ailleurs
Les lieux saints

Selon les traditions religieuses, les gens se rendent dans les lieux saints par dévotion et pour prier. Il s'agit d'une coutume très ancienne et largement répandue.

Doc. 5.38 Le Kotel, lieu saint des juifs, se trouve juste à côté du dôme du Rocher, lieu saint des musulmans.

JÉRUSALEM : VILLE SAINTE DES JUIFS, DES CHRÉTIENS ET DES MUSULMANS

Les trois principales religions monothéistes ont en commun une partie de leurs origines et de leur histoire. C'est pourquoi la ville de Jérusalem, au Proche-Orient, est un lieu saint pour chacune d'elles.

Selon la Bible, le Temple de Jérusalem a été construit une première fois par le roi Salomon. Détruit puis reconstruit au VIe siècle avant l'ère chrétienne, il fut remanié et agrandi par le roi Hérode vers l'an 20-19, puis détruit définitivement par les Romains en l'an 70. Il n'en reste aujourd'hui que le mur ouest, le Kotel, que les non-juifs appellent aussi « mur des Lamentations ». Les juifs s'y rendent pour prier, particulièrement à l'occasion de trois célébrations juives : Pessah, Chavouot (Pentecôte juive) et Soukkôth. Selon un rite vieux de quelques siècles, on glisse dans une fente du mur un « tzetel », c'est-à-dire un morceau de papier sur lequel on a écrit un vœu ou une prière.

Doc. 5.39 Des « tzetel » laissés dans les fentes du mur de Jérusalem.

La basilique du Saint-Sépulcre se trouve aussi à Jérusalem, sur le lieu que l'on a pensé être celui de la crucifixion de Jésus, telle qu'elle est décrite dans la Bible. Plusieurs fois endommagée et détruite, cette église demeure un lieu privilégié de prière et de dévotion pour les chrétiens depuis le IVe siècle.

Le dôme du Rocher est un sanctuaire islamique datant du VIIe siècle. Construit sur l'esplanade des Mosquées, le complexe architectural comprend aussi la plus grande mosquée de Jérusalem, Al-Aqsa.

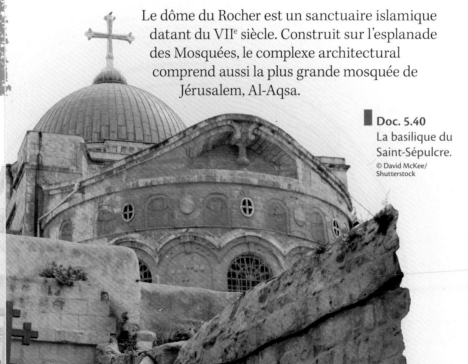

Doc. 5.40 La basilique du Saint-Sépulcre.

Doc. 5.41 Le dôme du Rocher.

LA MECQUE :
CAPITALE RELIGIEUSE DE L'ISLAM

Située en Arabie Saoudite, La Mecque est la capitale religieuse de l'islam. La ville constitue un territoire sacré, interdit aux non-musulmans. Le pèlerinage à La Mecque est l'un des cinq piliers de l'islam : tout musulman qui en a les capacités physiques et financières doit faire ce voyage au moins une fois dans sa vie. Ce rituel suit des règles très strictes.

Doc. 5.42 Au centre de la Grande Mosquée de La Mecque se trouve la Ka'ba. Les musulmans attribuent au prophète Abraham la construction de ce sanctuaire en forme de cube qui contient la Pierre noire.

Doc. 5.43 La Pierre noire est insérée dans une structure d'argent encastrée dans l'angle Est de la Ka'ba. Parmi les rites du pèlerinage, les pèlerins doivent faire le tour de la Ka'ba sept fois. Certains s'approchent de la Pierre noire pour la toucher tout en prononçant des prières à l'exemple du Prophète.

KUMBH MELÂ : LA « FÊTE DE LA CRUCHE » CHEZ LES HINDOUS

Selon la mythologie hindoue, à une époque très ancienne, les dieux et les démons ont fait une alliance en vue d'élaborer un élixir d'immortalité. Une fois le liquide mis au point, il y eut une dispute pour s'emparer de la cruche qui le contenait. Des gouttes sont tombées en quatre endroits de l'Inde : Prayâga (aujourd'hui Allahabad), Hardwâr, Ujjain et Nasîk. Ces lieux sont devenus des lieux saints, où les hindous se rassemblent en grand nombre, parfois par millions, au moment du Kumbh Melâ. Ce sont des phénomènes astronomiques, comme les éclipses, qui déterminent les dates de cette fête. Celle-ci est l'occasion d'un rite de purification par immersion dans l'une des rivières saintes.

Doc. 5.44 Des hindous traversant le Gange lors de la fête de Kumbh Melâ.

Des récits, des rites et des règles

Synthèse

- Presque toutes les traditions religieuses ont des récits. Il peut s'agir de récits de création de l'Univers et de l'être humain, de récits fondateurs, de récits de création des divinités, de récits de régénération, et autres.

- Les récits, les rites et les règles constituent les éléments essentiels et indissociables des traditions religieuses.

- Pour se rapprocher du divin ou de l'ultime, beaucoup d'êtres humains participent à des célébrations religieuses selon des règles et des rites établis.

- Presque toutes les traditions religieuses possèdent une tradition, orale ou écrite, expliquant la formation de l'Univers.

- Les rites sont l'ensemble des cérémonies en usage dans une religion et font partie intégrante de la vie et des traditions religieuses.

- Il existe plusieurs types de rites. Entre autres, il y a les rites de passage ou rites initiatiques, les rites de purification, les rites sacrificiels et les rites de prière.

- Lors des grandes fêtes rituelles, on commémore des événements marquants, on célèbre la naissance des fondateurs, on demande pardon, on célèbre l'année nouvelle, on remercie les divinités.

- Parmi les grands événements marquants ou tragiques vécus par des personnages importants ou des personnages fondateurs, on souligne : Pâques, Pessah et Id al-Adha.

- Dans presque toutes les religions, des temps d'arrêt sont prévus pour demander pardon de ses fautes à Dieu : Yom Kippour, le Carême, la nuit du pouvoir (laylat al-qadr).

- Le premier jour de l'année marque souvent l'idée de renouveau dans la vie des gens.

- Les règles sont des normes de comportement à respecter. La plupart sont tirées des textes sacrés ou de l'interprétation de ces textes.

- Parmi les règles des différentes traditions religieuses il y a des règles relatives à des devoirs sociaux et religieux, des règles vestimentaires, des règles alimentaires, et bien d'autres.

- Chaque religion possède ses guides de conduite qui permettent aux membres d'une tradition religieuse, selon leur culture, de distinguer le bien et le mal.

- Les textes sacrés des confessions chrétiennes et de la religion juive commandent de consacrer une journée de la semaine à Dieu : le samedi chez les juifs et le dimanche chez les chrétiens.

- Des exemples de règles sont les 613 mitsvot du judaïsme, les Dix commandements du christianisme, les cinq piliers de l'islam.

1 Quelles sont les façons de transmettre les récits selon les courants religieux ?

2 Quelles sont les fonctions d'un récit ?

3 Par l'entremise de quel personnage Muhammad a-t-il reçu les révélations de Dieu ? Ce personnage est-il connu dans d'autres traditions religieuses ?

4 En quoi la ville de Jérusalem est-elle un lieu saint ?

5 Quelles sont les caractéristiques d'un récit ?

6 Pourquoi les récits, les rites et les règles sont-ils souvent indissociables ?

7 Existe-t-il un ou plusieurs récits de création ? Donnez des exemples.

8 Y a-t-il un récit de création dans la tradition hindouiste ? Justifiez votre réponse.

9 Quelles sont les fonctions d'un rite ?

10 Pourquoi dit-on que les récits, les rites et les règles sont des éléments essentiels des traditions religieuses ?

11 Qu'est-ce qu'une tente de sudation ? Quelle en est l'utilité ?

12 À quel rite le récit de la Passion de Jésus de Nazareth pourrait-il être associé ?

13 Quelles sont les fonctions d'une règle religieuse ?

14 Est-ce que le jour de l'An est considéré comme une fête religieuse ? Pourquoi ?

15 Pourquoi la plupart des Autochtones célèbrent-ils la fête de la lumière ?

16 Que symbolise le dragon du Nouvel An chinois ?

17 Pourquoi les juifs construisent-ils des cabanes lors de la fête de Soukkôth ?

18 Quelle est la différence entre un commandement et une prescription ?

19 À quoi servent les règles lors de la pratique des rites ?

20 Que signifie la Pierre noire dans la tradition musulmane ?

21 En quoi consistent les cinq piliers de l'islam ?

22 Pourquoi porte-t-on la kippa dans la tradition juive ?

23 Quel est le rôle du catéchisme dans la tradition chrétienne ?

24 En combien de langues la Bible a-t-elle été traduite ?

25 Que représente la nuit du pouvoir (laylat al-qadr) pour les musulmans ?

Le phénomène religieux

CHAPITRE **6**

Des objets qui racontent

Notre milieu de vie compte de nombreuses marques de culture religieuse. Traces du passé ou manifestations du présent, ces objets, ces œuvres et ces lieux sont porteurs de sens. Qu'est-ce que le divin ? Quelles en sont les représentations ? Quelle en est la signification ? Qui sont les êtres mythiques et surnaturels ?

6.1 Le divin et ses premières représentations

Vous avez certainement déjà entendu des expressions comme un « sourire divin » ou une « musique divine ». Mais savez-vous de quoi il est question quand on dit « le » divin ? À quand remontent les premières représentations religieuses ?

Absolu : parfait, ce qui existe indépendamment de toute condition ou de tout rapport avec autre chose.

Trinitaire : dans la doctrine chrétienne, relatif à la Sainte Trinité qui est l'union de trois personnes distinctes qui forment un seul Dieu.

Fécondité : capacité pour un organisme vivant de se reproduire.

■ **Doc. 6.1**
La Vénus de Willendorf, découverte en Autriche en 1908.

LE DIVIN

L'adjectif « divin » renvoie à Dieu ou aux dieux : la puissance divine, la grâce divine, la bonté divine, le message divin, etc. Le mot divin employé comme nom désigne tout ce qui vient de Dieu ou des dieux. Par conséquent, cette notion du divin implique celles de la perfection et de l'**absolu**. De plus, le divin évoque presque toujours ce qu'on désigne globalement par les expressions « forces surnaturelles » ou « forces supérieures ». Puisque les éléments fondamentaux varient d'une tradition religieuse à l'autre, les représentations du divin ne sont donc pas universelles.

Les représentations du divin

Les représentations du divin peuvent évoquer des forces surnaturelles en général et un dieu en particulier. Certaines sont physiques et prennent la forme d'un objet concret, par exemple, la statue d'un dieu. Les représentations peuvent aussi être symboliques, par exemple, un animal personnifiant une qualité. D'autres encore sont des noms ou des qualificatifs attribués au divin. Dans certaines traditions religieuses, comme le christianisme, on représente souvent le divin à l'image de l'être humain. Dans d'autres, le divin peut apparaître sous une forme animale ou mi-humaine, mi-animale. Pour d'autres encore, comme l'islam, il est interdit de représenter le divin sous quelque forme que ce soit, alors, dans le Coran, on attribue à Dieu 99 noms différents. Dans le christianisme le divin est **trinitaire** : le Père, le Fils et le Saint-Esprit. Ce dernier est souvent représenté sous la forme d'une colombe ou de flammes. Que savez-vous des représentations du divin selon les différentes traditions religieuses ? Connaissez-vous des symboles utilisés pour représenter le divin ?

Le divin au cours de la Préhistoire

Les premières représentations symboliques seraient apparues il y a environ 100 000 ans. Cependant, les représentations du divin les plus anciennes qu'on connaisse remontent à la Préhistoire. En effet, on a retrouvé de nombreuses sculptures de pierre et d'os qui datent de 30 000 avant l'ère chrétienne. L'une d'elles, la Vénus de Willendorf, mesure une dizaine de centimètres et représente une femme enceinte dont les seins sont très volumineux. Cette œuvre pourrait personnifier une déesse de la **fécondité**.

CHAPITRE 6

Doc. 6.2 Douze des soixante-trois dieux souterrains des Hittites à Yazilikaya, en Turquie. Ce lieu de culte très ancien date de plus de 1250 ans avant l'ère chrétienne. Les Hittites sont arrivés en Anatolie, la Turquie d'aujourd'hui, il y plus de 4000 ans.

Le divin dans la civilisation mésopotamienne

On attribue à la civilisation mésopotamienne de l'Antiquité l'invention de l'écriture et de la ville, environ 3000 ans avant l'ère chrétienne. Babylone est située dans une région qu'on a souvent appelée le berceau de l'humanité. C'est aussi là qu'on a retrouvé les traces écrites les plus anciennes concernant les croyances.

Les Mésopotamiens pratiquaient le polythéisme, c'est-à-dire qu'ils croyaient en plusieurs dieux, chacun ayant un rôle et des **attributs** bien à lui. Chaque cité vénérait habituellement une divinité protectrice et lui élevait une ziggourat, c'est-à-dire une pyramide à étages qui lui servait de demeure symbolique. Afin de s'assurer la protection de leurs dieux, les gens leur faisaient diverses offrandes telles que nourriture, vêtements ou bijoux. Des prêtres veillaient au culte divin. Ils pratiquaient la **divination** et l'astrologie pour interpréter les événements et la volonté des dieux. Enfin, la religion mésopotamienne comportait des rites funéraires. En fait, ce sont là des caractéristiques communes aux religions de l'Antiquité.

Doc. 6.3 La ziggourat d'Ur, en Mésopotamie, où l'on adorait le dieu Lune, nommé Sin ou Nanna. Construite vers 2100 avant l'ère chrétienne, elle a été maintes fois restaurée.

POUR EN SAVOIR +

Nous l'avons vu au chapitre 4, des gens de partout dans le monde viennent vivre au Québec, apportant avec eux leur culture, leurs coutumes, leurs valeurs et leurs croyances, augmentant ainsi la présence de diverses traditions religieuses. On constate également le développement de nouvelles religions et celui de l'**athéisme**. Saviez-vous qu'il y a 6 % de la population du Québec et 16 % de la population du Canada qui est athée ?

Attribut : caractéristique ou pouvoir propre à un dieu.

Divination : interprétation, basée sur une croyance religieuse ou une démarche profane, de signes manifestés par les forces surnaturelles.

Athéisme : attitude d'une personne qui nie l'existence de toute divinité et qui ne pratique aucune religion.

6.2 Les représentations du divin selon les traditions religieuses

Comment nomme-t-on le divin dans les différentes traditions religieuses ? Comment le représente-t-on ? Quels en sont les caractéristiques et les symboles ?

Doc. 6.4 Une reproduction des Tables de la Loi écrites en hébreu. Elles contiennent les commandements reçus par Moïse.

© James Steidl/Shutterstock

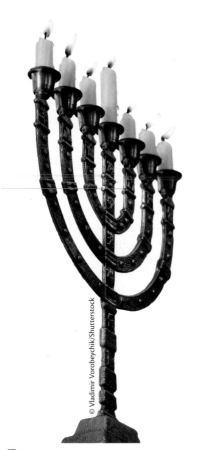

© Vladimir Vorobeychik/Shutterstock

Doc. 6.5 La menorah rappelle que Dieu est Lumière.

Une tradition religieuse est une doctrine et une pratique religieuse qui, au début, est habituellement transmise par la parole ou l'exemple, et qui se perpétue de siècle en siècle. Chaque tradition religieuse a une manière différente de concevoir le divin et de le représenter. Connaissez-vous les représentations du divin propres aux grandes traditions religieuses ?

LE JUDAÏSME

Le judaïsme est la religion pratiquée par les juifs. Ses origines les plus lointaines remonteraient à plus de quatre millénaires. Apparue avant le christianisme et l'islam, c'est la plus ancienne des trois principales religions monothéistes.

Tout au long de l'histoire de l'humanité, les textes sacrés ont donné lieu à de nombreuses représentations. L'Arche d'alliance est l'un de ces objets mythiques représentés. C'est un coffre qui aurait contenu les Tables de la Loi, ces pierres sur lesquelles Dieu a gravé les commandements transmis à Moïse. Dieu s'est présenté à Moïse et lui a dit :

> « Monte vers moi sur la montagne et demeure là, que je te donne les tables de pierre – la loi et le commandement – que j'ai écrites pour leur instruction. »

Exode XXIV (12)

En plus des objets, les événements et les lieux évoqués dans les textes sacrés ont été, eux aussi, souvent représentés.

Des noms

A-do-naï, Eloquim et Shaddaï sont des appellations de Dieu dans la Bible. Dans le judaïsme, on représente le nom de Dieu par le tétragramme, c'est-à-dire un mot de quatre lettres hébraïques qui ne doit pas être prononcé.

Des attributs

Selon les textes sacrés, les représentations de Dieu, comme les sculptures et les illustrations, sont interdites, car aucune représentation ne saurait lui rendre justice. Les juifs attribuent plusieurs caractéristiques à Dieu : c'est le Créateur, il est unique et éternel. Il existe et n'a pas de corps physique. Il est omniscient, c'est-à-dire qu'il sait tout. Il est omnipotent, donc tout-puissant. Il est omniprésent, donc présent partout. Il est protecteur. Il est aussi Lumière.

Des symboles

Plusieurs symboles rappellent l'existence et la présence de Dieu. Dans la Bible, Dieu a ordonné à son peuple de fabriquer une menorah, soit un chandelier en or à sept branches. C'est le symbole de la lumière divine et de la lumière de la Torah. Le feu de la menorah symbolise la présence de Dieu.

La mezouza est un étui cylindrique contenant des extraits de la Torah. Les juifs la placent sur les montants des portes de leurs maisons pour exprimer publiquement leur appartenance à la foi juive et manifester leur confiance en la protection divine.

LE CHRISTIANISME

Le christianisme est composé de ceux et celles qui croient en la mort et la résurrection de Jésus de Nazareth, considéré comme le **Christ**, vers l'an 30 de l'ère chrétienne. Les premiers chrétiens, qui sont des juifs, voient en lui le Messie, c'est-à-dire l'envoyé de Dieu venu libérer le peuple d'Israël et annoncer le royaume de Dieu. Les disciples du Christ, les **apôtres**, répandent ce message. Le christianisme se détache alors du judaïsme, qui ne croit pas que Jésus soit le Messie, et devient une religion à part entière. C'est ce qui marque le début du christianisme.

Des noms

Les chrétiens, qu'ils soient catholiques, anglicans, orthodoxes ou protestants, vénèrent Dieu. Pour les catholiques, Dieu est unique, mais se manifeste en trois personnes : le Père (Dieu), le Fils (Jésus) et le Saint-Esprit. C'est ce qu'on appelle la Sainte Trinité.

Des attributs

Selon les chrétiens, Dieu est Créateur, il est éternel et immuable, c'est-à-dire que sa nature ne peut être changée. Dieu est omnipotent, omniscient et omniprésent. Il est juste et absolu.

Comme le christianisme est composé de différentes confessions, les représentations religieuses varient selon les traditions artistiques, les différentes croyances et les rites. Par exemple, les images sont très importantes pour les orthodoxes, alors que pour les protestants, qui ne vénèrent pas les saints, il y a peu, voire pas de représentation de Dieu. Ils aiment par contre les illustrations des textes bibliques.

Doc. 6.6 Une mezouza.

Christ : titre donné à Jésus qui signifie « messie » en hébreu.

Apôtre : chacun des douze disciples de Jésus.

Doc. 6.7 Cette fresque a été réalisée par Lucas Rossetti da Orta vers 1738. Elle représente la Sainte Trinité. Dieu le Père est représenté en homme âgé. Dieu le Fils est un homme plus jeune. Dieu le Saint-Esprit est symbolisé par une colombe.

La Sainte Famille

Ce vitrail représente la Sainte Famille. On y aperçoit l'étable dans laquelle Jésus est né. L'Enfant Jésus est porté par sa mère, la Vierge Marie, qui est vêtue d'un vêtement bleu, symbole de pureté. Son père, Joseph, est placé à l'arrière. Les trois personnages portent une auréole, symbole de sainteté. À l'avant-plan, on aperçoit un lys, symbole de la Sainte Famille.

© Nicola Gavin/Shutterstock

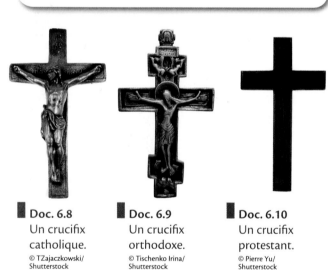

Doc. 6.8
Un crucifix catholique.
© TZajaczkowski/ Shutterstock

Doc. 6.9
Un crucifix orthodoxe.
© Tischenko Irina/ Shutterstock

Doc. 6.10
Un crucifix protestant.
© Pierre Yu/ Shutterstock

Doc. 6.11
Une icône orthodoxe représentant la Vierge Marie et l'Enfant Jésus.

© Roca/Shutterstock

Des symboles

Les chrétiens représentent le divin de différentes manières, toujours en fonction de leurs confessions respectives. En voici quelques exemples.

La croix

La croix est probablement le symbole le plus universel de la chrétienté. Elle est abondamment utilisée dans les œuvres d'art religieux. On appelle « crucifix » une croix qui symbolise la croix sur laquelle Jésus a été crucifié. Dans les communautés catholiques et orthodoxes, on voit fréquemment des crucifix et des croix dans des endroits publics et dans les maisons. Les lettres « INRI », souvent inscrites en haut de la croix, sont les premières lettres de quatre mots latins signifiant « Jésus de Nazareth, roi des Juifs ». Pour rappeler que Jésus est ressuscité, qu'il n'est plus sur la croix, les protestants n'utilisent que le symbole d'une croix vide.

Le signe de la croix est un geste chrétien : chez les catholiques, on porte les doigts de la main droite au front, puis successivement à la poitrine, à l'épaule gauche et à l'épaule droite. On peut l'accompagner d'une profession de foi : « Au nom du Père, et du Fils, et du Saint-Esprit. ». Ce geste est fait lors de cérémonies religieuses ou de prières individuelles. La façon de faire peut varier d'une confession chrétienne à l'autre : chez les orthodoxes, on touche le front, la poitrine, l'épaule droite d'abord, puis l'épaule gauche.

Les icônes

Dans la tradition orthodoxe, on vénère des icônes. Ce sont des représentations religieuses soigneusement réalisées, en général sur un panneau de bois. Elles jouent un rôle fondamental dans la liturgie orthodoxe. Loin d'être de simples objets décoratifs ou artistiques, les icônes constituent plutôt un moyen privilégié de communiquer avec le divin.

Liturgie : ensemble des règles qui déterminent le déroulement des rites chrétiens.

CHAPITRE 6

Les objets sacrés de la communion

La communion est un sacrement chrétien qui célèbre et perpétue le sacrifice du Christ pour sauver l'humanité. Dans les liturgies catholiques et orthodoxes, on l'appelle Eucharistie et elle a lieu pendant la messe : le prêtre consacre le pain et le vin qui deviennent le corps et le sang du Christ. Cette cérémonie nécessite des objets de culte. Le ciboire, qu'on garde dans une petite armoire appelée tabernacle, est un vase sacré muni d'un couvercle dans lequel on dépose le pain consacré. Lors de la consécration, on se sert de la patène (petite assiette) pour y déposer le pain, et on verse le vin dans le calice (coupe). Ensuite, pour la communion, on invite les fidèles à manger le pain et à boire le vin consacrés. Traditionnellement, on fabrique les objets de culte avec des métaux précieux comme l'or ou l'argent.

Doc. 6.12 Une représentation de la Cène, le dernier repas que Jésus a pris avec ses apôtres avant de mourir sur la croix.

Les chrétiens n'interprètent pas tous la communion de la même manière. Les catholiques, les orthodoxes et les anglicans croient que le pain et le vin deviennent le corps et le sang du Christ. Chez les protestants, la communion se nomme Sainte-Cène. Pour eux, cette cérémonie rappelle le dernier repas que Jésus a pris avec ses apôtres. Le mot « cène » provient d'ailleurs d'un mot latin qui signifie « repas ». Le pain et le vin restent du pain et du vin. Le Christ est présent dans la communauté qui partage ce repas.

Doc. 6.13 Un pasteur protestant distribue la communion à des fidèles.

Doc. 6.14 Un calice et une patène contenant le pain consacré.

Consacrer : rendre sacré, dédier à une divinité.

Doc. 6.15 L'intérieur de la mosquée du Taj Mahal à Agra, en Inde.

Révélation : phénomène par lequel des vérités cachées sont révélées aux êtres humains d'une manière surnaturelle.

Art profane : toute forme d'art qui n'est pas d'abord religieux.

Art sacré : toute forme d'art fondé sur un sentiment religieux.

Calligraphie : forme d'écriture artistique.

Arabesque : motif ornemental formé de lettres, de lignes et de feuilles entrelacées.

Doc. 6.16 Cette mosaïque ornant l'intérieur d'une mosquée iranienne contient des arabesques ainsi que des motifs floraux et végétaux fort complexes.

L'ISLAM

L'islam est la troisième des principales religions monothéistes abrahamaniques, après le judaïsme et le christianisme. Alors que le Christ est à la source du christianisme, le prophète Muhammad est le fondateur de l'islam. Selon la tradition, le Prophète, né vers 570, reçoit par l'intermédiaire de l'archange Gabriel des **révélations** divines qui sont à l'origine de la religion musulmane.

Des noms

Allah est le nom de Dieu en arabe. On dit aussi qu'il existe quatre-vingt-dix-neuf noms de Dieu, tous tirés du Coran, le livre sacré des musulmans.

Des attributs

Les quatre-vingt dix-neuf noms réfèrent à différents attributs de Dieu. Leur interprétation peut différer, mais en voici quelques exemples : le Bienfaiteur, le Miséricordieux, le Vigilant, le Créateur, le Sage, le Glorieux, le Guide.

L'islam interdit toute forme de représentation imagée de Dieu. Il existe certaines représentations des prophètes et des êtres surnaturels, selon différents groupes de l'islam et selon la société ou la culture. Cependant, on considère souvent que ces représentations sont liées à l'**art profane** plutôt qu'à l'**art sacré**.

Des symboles

Les musulmans ont recours à plusieurs types de motifs et de symboles qui, sans représenter Dieu, sont liés au divin.

Les motifs décoratifs

Comme aucune représentation imagée du divin n'est autorisée, les musulmans ont recours à la **calligraphie** arabe à partir de versets du Coran et à des motifs décoratifs qui rappellent la présence de Dieu. Par exemple, les murs d'une mosquée peuvent être embellis par des motifs géométriques qui symbolisent l'éternité de Dieu. Des **arabesques** sont aussi fréquemment représentées. Elles invitent les fidèles à la réflexion sur la création et l'unité divine. Les motifs floraux sont aussi très prisés. Ils évoquent les jardins du Paradis décrits dans le Coran. Certaines fleurs, comme la rose, la tulipe et l'œillet, symbolisent la beauté divine ou l'unité de Dieu et rappellent sa puissance créatrice.

La main de Fatima

La main de Fatima, la fille du prophète Muhammad, est une **amulette** destinée à éloigner le **mauvais œil**. Certains musulmans ne reconnaissent pas cette protection. Par ailleurs, des juifs et des chrétiens portent ce bijou en croyant à ses pouvoirs.

La calligraphie

Les musulmans ont fait de la calligraphie une forme d'art religieux. Au lieu d'images saintes, des passages du Coran ornent les mosquées. On peut aussi en retrouver sur des vêtements ou des meubles.

Doc. 6.17
Le nom de Dieu en arabe (Allah) calligraphié.

Doc. 6.18
Une main de Fatima.

Amulette : petit objet qu'on porte sur soi et auquel on attribue un certain pouvoir.

Mauvais œil : regard auquel on attribue le pouvoir de porter malheur.

Doc. 6.19 Au-dessus de la porte de cette mosquée, on a inscrit la profession de foi musulmane : « Il n'y a qu'un Dieu et Muhammad est Son prophète ».

LES TRADITIONS RELIGIEUSES AUTOCHTONES

Les traditions et les croyances des peuples autochtones varient selon les régions. Elles ont tout de même certains points en commun, notamment le fait que les traditions spirituelles soient généralement transmises oralement.

Des noms

Selon les traditions religieuses amérindiennes, il n'y a pas de dieu, mais des esprits ou des forces créatrices. Dans la plupart de ces traditions, le Grand Esprit est à l'origine de l'Univers. On le nomme aussi, par exemple, Wakan-Tanka ou Manitou, selon les nations. Pour communiquer avec le Grand Esprit, on utilise des objets et des symboles. Chez les Inuits, l'Être suprême, créateur de la terre et de la mer, se nomme Naarjuk. Selon d'autres traditions, c'est la Terre qui est la mère de toute vie.

POUR EN SAVOIR +

L'islam est la religion pratiquée par les musulmans. En arabe, ce mot signifie « soumission, abandon à la volonté de Dieu ». « Islamisme » est un vieux terme qui signifiait « islam », mais aujourd'hui il réfère surtout à tout mouvement qui utilise la religion musulmane à des fins politiques. L'adjectif « islamiste » renvoie à ce mouvement, alors que l'adjectif « islamique » réfère simplement à la tradition religieuse.

Quand il commence par une majuscule, le mot « Islam » sert à désigner l'ensemble des peuples qui pratiquent cette religion et la civilisation qui les caractérise. Il faut éviter de confondre les musulmans avec les Arabes. Bien que l'islam soit né dans le monde arabe, les musulmans ne sont pas tous arabes et les Arabes ne constituent que 20 % des musulmans.

Doc. 6.20 Les Inuits croient que l'esprit Ijirak prend la forme d'un caribou.

Des attributs

La nature occupant une place centrale dans les spiritualités autochtones, les esprits sont souvent représentés sous une fome animale. Par exemple, les Inuits croient que l'esprit Ijirak prend la forme d'un caribou. D'autre part, pour presque toutes les nations, le symbolisme du cercle est dominant.

Des symboles

Les symboles des esprits et des forces créatrices sont nombreux. En voici quelques-uns.

Les plumes d'oiseau

Les plumes d'oiseau constituent un présent du Grand Esprit. On leur attribue diverses propriétés, comme la faculté de guérison ou le pouvoir de protection. Ainsi, on utilise des plumes de colombe dans les rituels liés à la paix et des plumes de moineau pour fabriquer des amulettes porte-bonheur. On orne aussi de plumes les vêtements d'apparat et les objets.

Doc. 6.21 Un capteur de rêves décoré de plumes favorise les bons rêves et éloigne les mauvais.

© Linda Z/Shutterstock

POUR EN SAVOIR +

Le cercle de vie

Dans plusieurs cultures amérindiennes, le cercle est le point de départ de la spiritualité. Les quatre couleurs sacrées du cercle, rouge, jaune, noir et blanc, symbolisent les quatre points cardinaux, les quatre saisons, les quatre éléments, ainsi que les quatre stades de la vie. Chaque être, chaque forme de vie, chaque élément du cercle possède une âme, et tous sont sur un pied d'égalité. C'est un système en équilibre dans lequel aucune force n'est supérieure à une autre.

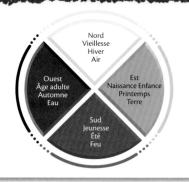

Les totems

Un totem représente d'abord un animal, parfois une plante ou un objet, qu'on considère comme un ancêtre ou un protecteur. Selon les peuples, les animaux peuvent symboliser différentes choses, abstraites ou concrètes. Ainsi, chez les Iroquoiens, la tortue est le symbole de la Terre. L'ours représente souvent la force et la sagesse; il peut aussi signifier le mal présent dans un individu. Le loup symbolise l'apprentissage. L'aigle est le messager qui permet de communiquer avec le Grand Esprit. Chez les Amérindiens de l'ouest du Canada, on trouve de grands totems sculptés qui rappellent les animaux mythiques à l'origine d'un clan, ainsi que les événements importants vécus par les grands chefs du clan.

© July Flower/Shutterstock

Doc. 6.22 Les parties horizontales de ce totem de Colombie-Britannique représentent les ailes déployées d'un aigle.

L'HINDOUISME

L'hindouisme est une religion qui existe en Inde depuis plusieurs millénaires. Avec le temps, elle s'est répandue dans divers pays. Cette tradition religieuse est dite polythéiste parce qu'elle honore plusieurs dieux.

Des noms

L'hindouisme est une tradition religieuse qui se démarque par un **panthéon** riche et complexe. En effet, celui-ci compte des milliers de divinités. Pour les hindous, le Seigneur suprême adopte trois formes particulières quand il entre en relation avec le **cosmos**. Il prend tour à tour le corps de Brahma, celui de Vishnou et celui de Shiva.

Des attributs

Chacune des trois formes du Seigneur suprême possède ses caractéristiques propres. Brahma, une divinité masculine, est le Créateur. Vishnou, est le Préservateur qui redresse l'ordre perturbé. Shiva, de son côté, est le Destructeur du monde, avant qu'il ne soit recréé. Les autres divinités hindoues ont aussi des fonctions et caractéristiques. Par exemple, la déesse Parvati soutient l'action de Shiva, son époux, dans le monde. Leur fils, Ganesha, est notamment associé à la sagesse, au succès et à la chance.

Des symboles

L'hindouisme est une tradition religieuse riche en symboles et en représentations de divinités. Certains dieux ont des formes humaines, tandis que d'autres ont des formes animales. L'hindouisme a aussi comme particularité le fait qu'une statue devient, après un rituel approprié, le lieu de résidence d'une divinité. Cette dernière utilise en quelque sorte le morceau de bois ou de métal dont elle est fabriquée comme son propre corps.

La syllabe OM

Pour les hindous, le son OM est en fait trois sons, le « o » équivalant à « a+u ». Ces derniers sont un concentré du Veda, soit des trois grands textes qui y font autorité (le Rig-Veda, le Yajur-Veda, le Sama-Veda), des trois mondes (ciel, atmosphère, terre), de tout ce qui va par trois, y compris les trois formes du Seigneur suprême. Le son OM renvoie ainsi à la totalité des choses.

Panthéon : dans une religion polythéiste, ensemble des divinités.

Cosmos : l'Univers considéré comme un tout.

© Artur Bogacki/Shutterstock

◾ **Doc. 6.23** Un temple érigé au XIᵉ siècle au Cambodge en l'honneur de Shiva et Vishnou. Il est orné de nombreuses statues de divinités.

◾ **Doc. 6.24** Le symbole graphique par lequel on représente le son OM.

© Oblong1/Shutterstock

Doc. 6.25 Brahma.
© Rachelle Burnside/Shutterstock

Doc. 6.26 Vishnou.
© Dmitry Rukhlenko/Shutterstock

Doc. 6.27 Shiva.
© Sverlova Mariya/Shutterstock

Des divinités

Brahma

Brahma est reconnaissable par son physique et ses attributs particuliers. On le représente avec quatre visages et deux paires de bras. Il tient dans ses mains quatre objets : un chapelet, un livre, un pot d'eau et une cuillère. Brahma se déplace sur une oie.

Vishnou

Comme Brahma, Vishnou possède quatre bras. Il est souvent peint en bleu ou en noir. Ses attributs sont un disque, un coquillage, un lotus et une massue. Il est monté sur un oiseau mythique, Garuda.

Shiva

Shiva possède plusieurs attributs, notamment : un troisième œil, un trident (fourche à trois pointes), un serpent, un croissant de lune et un chignon en broussailles qu'il a offert au Gange descendant du ciel pour amortir sa chute. La monture de Shiva est Nandi, un taureau blanc.

Des dieux aux formes animales

Le monde animal occupe une place importante dans la tradition hindoue. Certaines divinités hindoues sont représentées avec des traits d'animaux. C'est le cas de Ganesha, le fils de Shiva et de Parvati, qui a une tête d'éléphant et d'Hanuman, un singe.

Doc. 6.28 Ganesha, le dieu à tête d'éléphant.
© Nagy Melinda/Shutterstock

© shaileshnanal/Shutterstock

Doc. 6.29 Le dieu Hanuman, un singe.

LE BOUDDHISME

Le bouddhisme est né en Inde, vers le VIe siècle avant notre ère à la suite des enseignements de Siddhartha Gautama, que ses disciples ont surnommé le Bouddha.

Des noms associés à l'ultime

Le Bouddha, c'est-à-dire l'« Éveillé », est considéré comme étant l'« ultime ». D'ailleurs, on affirme que diverses divinités hindoues et autres ont été séduites par son message et se sont soumises à lui. Le Bouddha n'est pas une divinité, mais un homme qui s'est ouvert à la sagesse, qui s'y est éveillé.

Des attributs

Le bouddhisme s'est répandu dans divers pays. Les représentations du Bouddha varient selon les cultures. Cependant, selon la tradition, trente-deux caractéristiques physiques démontrent la perfection du Bouddha. En voici quelques-unes : il a quarante dents, de longs doigts fins, une peau lisse et des pieds parfaitement plats.

Des symboles

La symbolique qui entoure le Bouddha est très riche. Voici quelques-uns des objets et des gestes qui le représentent ou le symbolisent.

Les premières représentations

Les premières représentations bouddhiques ont été celles de la roue du **dharma**, de l'arbre de l'éveil et de l'empreinte des pieds du Bouddha. La roue du dharma représente les lois de l'Univers selon les enseignements du Bouddha. L'arbre de l'éveil renvoie au figuier sous lequel le Bouddha a connu l'éveil qui a changé sa vie. C'est seulement quelques siècles après ces premières évocations symboliques du Bouddha qu'on a commencé à représenter la personne physique du Bouddha.

Les gestes du Bouddha

Le Bouddha est représenté dans différentes postures, chacune étant une *mudra*, soit un geste codifié qui a une signification particulière. **Le geste du don** : la main gauche est ouverte et dirigée vers le sol, la paume vers l'avant. Associé à la moralité, à la sagesse et à la patience, ce geste démontre la pureté et l'intégrité. **Le geste de l'absence de crainte** : la main est levée, la paume est de face et les doigts sont serrés. Ce geste est associé à la confiance et à l'apaisement. **Le geste de méditation** : les jambes repliées en lotus, les mains superposées reposant sur les jambes, les paumes vers le haut et les pouces réunis. Ce geste représente le recueillement et la stabilisation de l'esprit.

© Gautier Willaume/Shutterstock

Doc. 6.30 Une statue en or représentant le Bouddha assis en lotus, une position de méditation.

Méditation : pratique spirituelle qui consiste à concentrer sa pensée dans le détachement des préoccupations matérielles.

Dharma : loi de l'Univers qui régit l'ordre des êtres et des choses.

© Thomas Lam/Shutterstock

Doc. 6.31 La roue du dharma.

© Donald Joski/Shutterstock

Doc. 6.32 De la main gauche, le Bouddha effectue le geste du don, tandis que de la main droite, il fait celui de l'absence de crainte.

Doc. 6.33 Le Temple d'or, construit en 1601 dans la ville d'Amritsar, en Inde, abrite l'original du livre sacré des sikhs.

LE SIKHISME

Le sikhisme aurait été fondé au XVe siècle par le **gourou** Nanak qui ne se considérait pas comme hindou ou musulman, mais comme sikh qui signifie : disciple. Le gourou Nanak voulait réconcilier les hindous et les musulmans. Cette religion rejette la représentation de l'Être suprême et l'adoration des idoles.

Des noms

Les sikhs ne vénèrent pas Dieu, mais bien un Être suprême qu'ils ne représentent jamais. Pour plusieurs sikhs, le nom « Vahiguru » réfère à l'Être suprême. Pour d'autres, ce nom renvoie plutôt au gourou Nanak.

Des attributs

Pour les sikhs, l'Être suprême possède les caractéristiques suivantes : il est unique, il est Vérité, il est le Créateur, il ne connaît pas la peur, ni la haine, il est immortel, infini et il existe par lui-même.

Des symboles

Le khanda est le symbole du sikhisme. Lui-même formé de plusieurs symboles, il est constitué de trois parties.

- Le cercle métallique, le chakra, représenterait un chaudron et la grâce du gourou.

- L'épée représente Vahiguru, soit l'Être suprême, mais pour plusieurs sikhs, elle représente le gourou Nanak qu'ils considèrent comme le gourou suprême.

- Les deux kirpans symbolisent les pouvoirs spirituel et **temporel**.

Doc. 6.34 Le khanda.

Gourou : guide spirituel.
Temporel : du domaine des choses matérielles, par opposition au domaine spirituel.

POUR EN SAVOIR +

Le khalsa

À l'origine, les membres du khalsa étaient des guerriers. De nos jours, ils se consacrent à la prière. Une cérémonie d'initiation marque l'entrée dans ce groupe dont tous les sikhs aspirent à faire partie. En signe d'appartenance au khalsa, les sikhs, hommes ou femmes, doivent respecter les « cinq K », c'est-à-dire cinq règles correspondant à des mots débutant par la lettre K. Ce sont à la fois des règles à suivre et un code vestimentaire symbolique.

- KESH, la chevelure, c'est-à-dire l'interdiction de se couper les cheveux et de se raser la barbe, signe de l'acceptation de la volonté divine.

- KIRPAN, c'est-à-dire le port du kirpan, une arme symbolique qui nous rappelle la lutte contre les injustices, l'oppression et, aussi, la défense de sa foi.

- KANGA, le peigne, c'est-à-dire le port dans la chevelure d'un peigne qui symbolise la pureté et la propreté.

- KACCHA, la culotte courte, c'est-à-dire le port de ce sous-vêtement qui facilite les mouvements et symbolise la force morale.

- KARA, le bracelet, c'est-à-dire le port d'un bracelet d'acier qui symbolise l'unité sikhe.

6.3 Les êtres mythiques et les êtres surnaturels

L'incompréhension des phénomènes naturels, comme la mort ou les forces de la nature, est probablement à l'origine des premières croyances et des premiers rituels. Avez-vous déjà entendu parler de créatures mythiques ? Que savez-vous des anges, des esprits et des démons ?

LES POUVOIRS SURNATURELS

La croyance en des forces surnaturelles ne permet pas d'expliquer l'inconnu, mais elle aide au moins à l'apprivoiser. Depuis longtemps, les pouvoirs surnaturels font partie de l'**imagerie populaire**.

Au sein de nombreuses religions ou cultures, la force physique surhumaine occupe une place de choix. Dans la Bible, Samson en est le symbole. Dans la **mythologie** grecque, c'est le demi-dieu Héraclès qui est doté d'une immense force. Il en est de même pour Hercule dans la mythologie romaine. Et la liste se poursuit : Thor dans la mythologie scandinave, Cuchulainn chez les Celtiques ou Bima en Inde... Une bande dessinée créée en 1938 a mis en scène Superman, un homme dont la force est l'un des principaux attributs. C'est lui qu'on reconnaît généralement comme le premier superhéros. De nos jours, plusieurs héros ou dieux jouissant aussi d'une grande force physique sont les vedettes de divers jeux vidéo et jeux de rôles.

Les créatures bibliques

La Bible est riche d'animaux, tantôt réels, tantôt **mythiques**. Cette faune figure de manières variées dans de multiples peintures, sculptures et vitraux. Au Moyen Âge, les bestiaires étaient très populaires : ces recueils de fables et de réflexions sur les animaux étaient souvent illustrés et visaient l'enseignement de la morale chrétienne. On y trouve les animaux représentés selon une **symbolique religieuse** du bien et du mal. La licorne, par exemple, est un animal fabuleux qui ne se trouve pas dans la Bible. Elle ressemble à un cheval blanc qui porte une corne unique au milieu du front. On lui attribue des pouvoirs magiques. En Occident, elle symbolise souvent la pureté, alors qu'en Orient, c'est plutôt un symbole de chance.

© ivanastar/Shutterstock

■ **Doc. 6.35** *La dame à la licorne*, une tapisserie célèbre reproduite sur ce timbre-poste, date du XVe siècle.

Imagerie populaire : ensemble des représentations, le plus souvent simplifiées et symboliques, qu'on trouve chez un peuple ou dans une culture donnée.

Mythologie : ensemble des mythes et des légendes propres à un peuple, à une civilisation ou à une religion.

Mythique : se dit d'un être ou d'une créature qui incarne sous une forme symbolique des forces de la nature ou des aspects de la condition humaine ; son histoire est transmise par la tradition.

Symbolique religieuse : système de symboles relatifs à une tradition religieuse.

■ **Doc. 6.36**
Hercule et Nessus (1599), marbre du sculpteur Giambologna. Nessus est un centaure, un être fabuleux de la mythologie grecque, moitié homme et moitié cheval.

© Coia Hubert/Shutterstock

Doc. 6.37 *La Vierge de la fête du rosaire*, peint en 1506 par Albrecht Dürer. On y voit la Vierge Marie tenant son fils Jésus. Des angelots encadrent la Vierge à l'Enfant.

Musée du Louvre

Doc. 6.38 Un taureau ailé, gardien du palais de Sargon II, en Assyrie (Irak) vers 713-706 av. J.-C.

Bas-relief : sculpture intégrée à une surface et qui déborde cette surface.

Les créatures ailées

Les êtres mythiques comprennent aussi des créatures ailées. Par exemple, dans la civilisation assyrienne, ancien empire de la Mésopotamie, les statues et les **bas-reliefs** de taureaux ailés à tête humaine jouaient le rôle de « gardiens » des temples ou des palais.

Parmi toutes les créatures ailées, le dragon est probablement l'exemple le plus connu et le plus représenté. Alors que les Occidentaux le considèrent généralement comme une créature malfaisante, les Chinois ont fait du dragon un symbole de puissance.

Les anges

Selon les religions catholiques, orthodoxes, anglicane, juive et musulmane, les anges sont des êtres surnaturels qui servent d'intermédiaires entre Dieu et les êtres humains. Il en existe différentes catégories : les séraphins, les archanges, les anges ou encore les chérubins. Ainsi, Gabriel, celui qui annonce à Marie la venue de Jésus, est un archange. C'est encore lui, dont le nom est Djibril en arabe, qui révèle le Coran au prophète Muhammad. Cependant, pour les protestants, les anges sont les messagers de Dieu et ce sont en général des êtres humains.

Wikipedia

Doc. 6.39 Une statue de saint Georges terrassant le dragon.

Les esprits

Dans toutes les traditions religieuses, il y a une forme de communication avec des êtres surnaturels, appelés aussi esprits. Certaines d'entre elles accordent une plus grande place aux esprits. C'est particulièrement le cas des religions animistes où on attribue une âme et un esprit aux animaux et aux éléments de la nature. Ainsi, dans certaines spiritualités autochtones, c'est le chaman qui entretient des liens privilégiés avec les esprits. Le chaman, homme ou femme, peut à la fois être un sage, un guérisseur et le gardien des traditions.

Les démons

Dans la tradition chrétienne, les démons sont des anges déchus, c'est-à-dire qui ont perdu leurs attributs divins. Ils représentent le mal. Satan, Lucifer, Diable, Belzébuth, Prince des ténèbres sont autant de noms pour désigner les forces du mal. Chaque religion a sa propre conception des démons.

Doc. 6.40 Pour entrer en communication avec les esprits, le chaman peut se servir, entre autres, d'un tambour traditionnel.

La sorcellerie

On peut définir la sorcellerie comme un ensemble de pratiques de magie. Ce phénomène, qui remonte aux temps primitifs, est souvent associé à la superstition et au culte de Satan. La sorcellerie est condamnée dans la Bible. Au cours de l'histoire, les grandes traditions religieuses l'ont aussi rejetée. L'Église catholique l'a considérée comme une **hérésie**.

Doc. 6.41 Les représentations de Satan constituent souvent un élément architectural décoratif.

Doc. 6.42 On trouve des représentations de Satan même sur les églises ! Les **gargouilles** sculptées de la cathédrale Notre-Dame de Paris sont célèbres dans le monde entier.

POUR EN SAVOIR +

Dieu et Satan : le bien et le mal

La croyance en la **dualité**, du bien et du mal, de la lumière et des ténèbres est une croyance ancienne. Selon cette conception du monde, puisque Dieu représente le bien, le mal doit aussi être représenté, symbolisé par un être unique. Dans la tradition judéo-chrétienne, Satan est le chef des démons et personnifie le mal. Responsable de tous les maux de la Terre, Satan est en compétition directe avec Dieu. Dans l'imagerie populaire d'aujourd'hui, surtout en Occident, le Diable est un symbole privilégié du mal, même parfois chez les non-croyants.

Hérésie : doctrine ou opinion contraire à une religion établie.

Gargouille : élément architectural en saillie, par lequel s'écoulent, loin des murs, les eaux de pluie recueillies dans les gouttières.

Dualité : caractère ou état de ce qui est double en soi, de ce qui est composé de deux parties.

DANS CE CHAPITRE, vous avez pu constater que chaque tradition religieuse a sa façon de représenter le divin – ou de ne pas le représenter. Vous avez également pu voir qu'il existe une infinie diversité dans les symboles religieux.

Culture et société
Des représentations du divin et de l'ultime

Dans les cultures religieuses qui ne l'interdisent pas, on trouve des représentations du divin et des êtres mythiques et surnaturels. Chez celles qui ne représentent pas le divin, on décore souvent les lieux de culte d'ornements magnifiques. Voici des exemples de ces oeuvres.

Doc. 6.43 Une fresque représentant le Paradis.

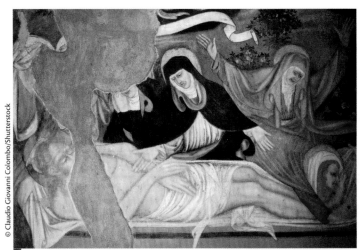

Doc. 6.44 Une fresque du XIVᵉ siècle représentant la mise au tombeau de Jésus.

Doc. 6.45 La déesse mère de Çatal Höyük, en Turquie, date de 6000 ans avant l'ère chrétienne.

Doc. 6.46 L'entrée de la mosquée Sulejmania à Istanbul en Turquie est ornée de textes calligraphiés.

Doc. 6.47 La porte d'une synagogue dans la vieille ville de Jérusalem est magnifiquement décorée.

Doc. 6.48 L'hindouisme compte un très grand nombre de dieux et de déesses.

Doc. 6.49 Un vitrail de l'église anglicane de Fringford en Grande-Bretagne. On y voit Moïse portant les Tables de la Loi.

Doc. 6.50 Une mosaïque où figurent la Vierge et l'Enfant Jésus.

Doc. 6.51 Un vitrail illustrant la Cène : sur la gauche, on aperçoit le saint Calice.

Doc. 6.52 Une statue du Bouddha.

Doc. 6.53 Une statue de la Sainte Vierge comme on en voit dans beaucoup d'églises.

Doc. 6.54 Des carreaux de céramique où on reconnaît la Vierge Marie et sa mère, sainte Anne.

Ici et ailleurs
Les moaïs de l'île de Pâques

Que représentent les mégalithes de l'île de Pâques ?

Comment a-t-on pu déplacer et mettre debout ces statues gigantesques ?

© Vladimir Korostyshevskiy/Shutterstock

© Happy Alex/Shuttersatock

Doc. 6.55 Isolée dans l'océan Pacifique, l'île de Pâques se trouve à environ 3700 km des côtes du Chili, dont elle est une province depuis 1888. Elle a été découverte le jour de Pâques 1722, d'où son nom. L'île de Rapa Nui (c'est le nom autochtone de l'île) aurait d'abord été colonisée par des Polynésiens, de nombreux siècles auparavant. C'est là que se trouvent les moaïs, de gigantesques statues de pierre. L'île est inscrite au Patrimoine mondial, culturel et naturel de l'UNESCO.

Doc. 6.56 Les statues moaïs tournent toutes le dos à l'océan. On croit qu'elles représentent l'esprit des ancêtres et qu'elles servaient d'intermédiaires entres les dieux et les êtres humains. Elles auraient été érigées entre les années 1300 et 1600.

Mégalithe : monument de pierre brute de grandes dimensions.

Doc. 6.57 L'île compte un peu moins de 900 moaïs. Ces statues mesurent entre 2 m et 12 m. Elles ont été façonnées dans du basalte, une roche volcanique. Leurs yeux de corail sont censés protéger ce qu'ils voient. On croit que ces pierres auraient été déplacées, à partir des carrières jusqu'aux sites d'installation, à l'aide de troncs d'arbres qui autrefois couvraient l'île. Des archéologues ont trouvé un système primitif de poulies qui aurait pu permettre de mettre debout ces **mégalithes** pesant de trois à cent tonnes. Selon le peuple de Rapa Nui, la légende veut que ce prodige ait été rendu possible grâce à la « mana », un pouvoir surnaturel et magique que possèdent certains individus.

© Jose Alberto Tejo/Shutterstock

CHAPITRE 6

156

Les totems de l'Ouest canadien

Que représentent les totems amérindiens ?

Doc. 6.58 En Colombie-Britannique, les Amérindiens haïdas ont sculpté des totems de cèdre. Le mot algonquien « ototeman » (totem) signifie « qui appartient à ma parenté ». Un totem raconte l'histoire d'une famille et représente l'animal qui la protège, par exemple : couguar, corbeau, saumon, aigle… Comme la plupart des Amérindiens, les Haïdas vénèrent les esprits de leurs ancêtres et les animaux qui les protègent.

© Paul Chang/Shutterstock

© Ieva Geneviciene/Shutterstock

Les mégalithes de Stonehenge et de Carnac

Que représentent les monuments mégalithiques construits en Europe il y a plusieurs milliers d'années ?

© Claudio Giovanni Colombo/Shutterstock

Doc. 6.60 Carnac, en France. Carnac est en Bretagne, en France. On y trouve des alignements de mégalithes, dont certains ont environ 6000 ans. Quelque 4000 pierres se dressent debout. L'une d'elles mesure 20 mètres et pèse 300 tonnes. Les spécialistes ne s'entendent pas sur la signification de ces pierres.

Doc. 6.59 Stonehenge, en Angleterre.
Stonehenge est situé dans la plaine de Salisbury, en Angleterre. L'ensemble mégalithique de cet endroit a été réalisé entre 2500 et 1500 avant l'ère chrétienne. Il pourrait s'agir des vestiges d'un sanctuaire voué au culte d'un dieu soleil. Le diamètre du cercle formé par les mégalithes mesure 32 mètres. Le site de Stonehenge est inscrit sur la liste du Patrimoine mondial, culturel et naturel de l'UNESCO.

© Brian Busovicki/Shutterstock

Synthèse

- Le mot divin employé comme nom désigne tout ce qui vient de Dieu ou des dieux.

- Certaines traditions religieuses se représentent le divin à l'image des êtres humains ou des animaux.

- D'autres traditions religieuses interdisent toute image du divin.

- Les premières représentations du divin dans la Préhistoire sont des sculptures de pierres ou d'os.

- La croyance en des forces surnaturelles ne permet pas d'expliquer l'inconnu, mais elle aide à l'apprivoiser.

- Les plus anciennes traces de culte religieux connues des historiens et des archéologues ont été découvertes en Mésopotamie.

- Les Mésopotamiens étaient polythéistes et vénéraient un panthéon de dieux.

- La ziggourat mésopotamienne était le temple élevé à la divinité protectrice de la cité.

- Le judaïsme est la plus ancienne des trois principales religions monothéistes. Les juifs respectent une prescription biblique et ne représentent pas le divin physiquement.

- Le christianisme est fondé sur la croyance en Jésus Christ. La plupart des chrétiens ont représenté Jésus sous une forme humaine. L'iconographie chrétienne est très riche.

- Dans la tradition chrétienne, les démons représentent les forces du mal.

- L'islam est une religion monothéiste et a été fondée par le prophète Muhammad. Dans la religion musulmane, il est interdit de se représenter Dieu.

- Les musulmans ont développé une calligraphie très artistique où sont reprises des citations du Coran qui ornent les mosquées.

- Dans les traditions religieuses amérindiennes, le Grand Esprit est la divinité suprême. La nature occupe une place centrale dans les spiritualités autochtones.

- L'hindouisme est une religion polythéiste qui se démarque par un panthéon riche et complexe.

- Le bouddhisme est une religion. Le Bouddha n'est pas un dieu, mais bien un homme qui a trouvé la sagesse.

- Les sikhs sont monothéistes. Cette religion rejette la représentation de Dieu et l'adoration d'idoles.

- Dans les religions animistes, on attribue une âme, un esprit aux animaux et aux éléments de la nature.

1. Est-ce que toutes les religions se représentent le divin de la même façon ? Donnez des exemples.

2. Quelle est l'origine de la religion musulmane ?

3. Qu'est-ce qu'un panthéon ?

4. Pourquoi les Mésopotamiens construisaient-ils des ziggourats ?

5. Quelle est le rôle d'un ange selon les traditions monothéistes ?

6. Pour certains protestants, que représente l'Eucharistie ?

7. Le Bouddha est-il un dieu ? Expliquez.

8. À quoi servent les gargouilles ?

9. Que symbolise le cercle dans les spiritualités autochtones ?

10. Que symbolise le kirpan ?

11. Que veut dire le mot messie ?

12. Quel est le symbole le plus connu de la chrétienté ? Que représente-t-il ?

13. Qu'est-ce que l'Arche d'alliance ?

14. Pourquoi est-il permis de se représenter Jésus dans la plupart des confessions chrétiennes ?

15. Le judaïsme est-il polythéiste ?

16. Que représente la roue qui symbolise souvent le bouddhisme ?

17. À quoi sert le khalsa dans la religion sikhe ?

18. Qui est le prophète Muhammad ?

19. Que représente la tortue pour les Amérindiens ?

20. Quel est le but d'une fable ?

21. Pourquoi la plupart des hindous vénèrent des images de divinités ?

22. Expliquez l'origine de Satan.

23. Quelles traditions ne se représentent pas le divin ?

24. Qu'a fait l'archange Gabriel ?

Dialogue

*Réfléchir pour mieux communiquer ou
communiquer pour mieux réfléchir ?*

SOMMAIRE

Tableau des différentes formes du dialogue

Il y a plusieurs façons de pratiquer le dialogue. Ce tableau en présente sept formes différentes. Vous trouverez dans la colonne « Contexte d'utilisation » des indications sur la meilleure façon d'utiliser l'une ou l'autre de ces formes de dialogue.

FORMES DU DIALOGUE	DÉFINITIONS	CONTEXTE D'UTILISATION	EXEMPLES
Outil 1 La conversation 	Échange dans le but de **partager** des idées et des expériences.	On l'utilise lorsqu'on veut partager en petit groupe de l'information ou des idées sur un sujet d'intérêt commun.	Dans la cour de l'école, vous conversez avec Thomas pendant la récréation de la défaite de votre club de soccer.
Outil 2 La discussion 	Échange d'opinions dans le but d'**examiner** les divers points de vue.	On l'utilise lorsqu'on veut mieux connaître les points de vue et les arguments des participants sur un sujet particulier.	Vous discutez avec votre enseignante de la nécessité d'avoir un code vestimentaire à l'école.
Outil 3 La narration 	Récit qui **relate** des faits ou des événements sous une forme écrite ou orale.	On l'utilise lorsqu'on veut décrire des faits ou des événements de façon **neutre**, sans exprimer son point de vue.	Vous lisez une histoire à des enfants.

SECTION 1

Les formes du dialogue

FORMES DU DIALOGUE	DÉFINITIONS	CONTEXTE D'UTILISATION	EXEMPLES
Outil 4 La délibération 	Analyse de différents aspects d'une question (faits, intérêts, normes, valeurs, conséquences, etc.) dans le but d'en arriver à une **prise de décision commune**.	On l'utilise lorsqu'un échange a pour but de conduire à une prise de décision commune.	Les participants à un congrès délibèrent sur une proposition visant à faciliter l'accès d'un centre de loisirs aux personnes en fauteuil roulant. La proposition est adoptée.
Outil 5 L'entrevue 	Rencontre qui permet d'**interroger** une personne sur ses activités, ses idées, ses expériences dans le but de mieux connaître cette personne ou le sujet qu'elle maîtrise.	On l'utilise lorsqu'on veut mieux connaître quelqu'un ou profiter de son expérience afin d'améliorer des connaissances sur un sujet précis.	Une auteure à succès en littérature jeunesse est interviewée par un journaliste sur les qualités que devrait avoir un livre destiné aux jeunes.
Outil 6 Le débat 	Échange **organisé** qui suppose un modérateur et des temps de parole prévus et minutés dans le but de faire exprimer divers points de vue sur un même sujet.	On l'utilise lorsqu'on veut faire diriger une discussion par un modérateur de façon à ce que les échanges permettent de faire ressortir les points de vue des participants.	Dans le cadre d'une campagne électorale à la présidence du conseil étudiant, on organise un débat afin de faire connaître les points de vue des différentes parties.
Outil 7 Le panel 	Rencontre entre des **personnes-ressources** qui échangent des connaissances pour aider à mieux cerner un sujet.	On l'utilise lorsqu'on veut profiter des connaissances particulières de certaines personnes-ressources en discutant avec elles.	Votre école organise un panel formé d'une psychologue, d'un travailleur social, d'un policier, d'une infirmière et d'un représentant étudiant pour discuter de la violence verbale.

Outil 1
La conversation

Qu'est-ce qu'une conversation ?

- La conversation est une des formes du dialogue.

- Elle vise à échanger d'une façon informelle sur des faits, des valeurs et des idées.

- On l'utilise lorsqu'on veut partager en petit groupe des émotions, des sentiments, des états d'âme sur des faits, des valeurs ou des idées.

Démarche proposée

Ayez une grande ouverture aux idées, aux valeurs, aux émotions, aux états d'âme des membres du groupe.

1. Écoutez attentivement et respectueusement chaque personne qui vous parle.

2. Participez activement à la conversation.

3. Ayez une attitude constructive afin de nourrir la réflexion si nécessaire.

DES FORMES DE DIALOGUE COMPLÉMENTAIRES
- ☐ La narration (**outil 3**)
- ☐ L'entrevue (**outil 5**)

DES PIÈGES À ÉVITER
- ☐ Ne pas écouter.
- ☐ Monologuer.
- ☐ Rester passif sans s'engager dans la conversation.
- ☐ S'éloigner du sujet.

> **! ATTENTION**
>
> Cette démarche n'est pas linéaire. On peut revenir à l'une ou l'autre des étapes à n'importe quel moment.

Un modèle de **conversation**

FAUT-IL TOUJOURS DIRE LA VÉRITÉ ?

Julien – La semaine dernière, mon meilleur ami Thomas a accidentellement blessé Anne-Marie pendant la récréation. La responsable de la surveillance du groupe n'a rien vu. Elle a demandé qui avait blessé Anne-Marie. Thomas n'a rien dit. Elle a alors menacé de punir toute la classe si personne ne lui disait qui avait fait cela. J'étais très mal. Si je disais la vérité, je trahissais mon meilleur ami ; si je ne disais pas la vérité en me taisant, toute la classe était punie.

Philippe – Je ne sais pas ce que j'aurais fait à ta place. Ce n'est pas facile de choisir entre l'amitié et l'honnêteté. Moi, je crois que tu devrais laisser tomber Thomas. Ce n'est pas un ami pour toi. L'autre jour, il a refusé de m'aider dans mon devoir de français. Pour revenir à ton histoire, je trouve que ce n'est pas toujours facile de savoir quand dire la vérité.

Julien – Je vais en discuter avec Thomas. Il doit se sentir très mal de voir la classe punie par sa faute. Je ne pense pas que le couvrir soit une très bonne idée. Dans son cas, dire la vérité lui aurait permis de s'expliquer et d'éviter que toute la classe soit punie.

La conversation permet d'échanger sur des faits.

Julien devient plus réflexif au fil de la conversation.

Un titre en forme de question suscite l'intérêt et la réflexion.

La conversation permet d'échanger sur des valeurs et des normes.

Dans une conversation, il est acceptable de s'éloigner de son sujet, comme le fait Philippe dans ce passage où il exprime ses états d'âme par rapport à Thomas.

Outil 2
La discussion

Qu'est-ce qu'une discussion ?

- La discussion est une des formes du dialogue.

- C'est un échange d'opinion sur des faits, des idées et des valeurs.

- Elle vise à examiner différents points de vue.

- On l'utilise lorsqu'on veut partager en petit groupe de l'information ou des idées sur un sujet d'intérêt commun.

Démarche proposée

1. Cernez le sujet en précisant le problème abordé dans la discussion, les questions qui se rattachent à ce problème et les enjeux qui s'en dégagent.

2. Organisez l'information.
   - Mettez vos idées en ordre.
   - Clarifiez votre opinion et vos arguments.
   - Préparez vos questions afin de vous informer sur le point de vue des autres participants à la discussion.

3. Discutez des opinions fondées sur des faits, des idées et des valeurs :
   - en exprimant clairement et de façon nuancée votre point de vue et vos arguments ;
   - en étant à l'écoute des autres participants à la discussion ;
   - en évitant de nuire à la progression de la discussion par des procédés nuisibles faisant appel aux autres (outil 17), comme l'attaque personnelle, l'argument d'autorité ou l'utilisation d'un stéréotype ;
   - en concluant l'échange par un retour sur la question initiale pour mesurer ce que vous a apporté cette discussion.

! ATTENTION

Cette démarche n'est pas linéaire. On peut revenir à l'une ou l'autre des étapes à n'importe quel moment.

■ DES FORMES DE DIALOGUE COMPLÉMENTAIRES
- La délibération (**outil 4**)
- Le débat (**outil 6**)

■ DES PIÈGES À ÉVITER
- Manquer d'écoute pour le point de vue et les arguments des autres participants à la discussion.
- Manquer de clarté dans l'expression de son point de vue.
- Utiliser des procédés qui font obstacle au dialogue.

Un modèle de discussion

LE CODE VESTIMENTAIRE DE MON ÉCOLE EST-IL UNE ENTRAVE À MA LIBERTÉ ?

Un titre en forme de question oriente la discussion.

Rémi – Je suis contre le nouveau code vestimentaire de l'école. Ma façon de m'habiller ne regarde que moi. J'ai le droit d'exprimer ma personnalité à travers les vêtements que j'aime. On devrait être libre de porter ce que l'on veut. L'école ne devrait pas s'en mêler, cela ne la regarde pas.

Dans la discussion, après avoir affirmé son point de vue, Rémi met de l'avant quatre arguments contre le code vestimentaire de son école.

Stéphanie – Je ne suis pas d'accord avec toi, Rémi. L'école a le devoir d'imposer des limites à notre liberté. Le code vestimentaire est là pour faire respecter certaines valeurs communes. On interdit les « chandails bedaines » pour préserver une certaine **pudeur** dans l'habillement ; on refuse des vêtements qui comportent des signes pouvant inciter à la violence pour préserver un **esprit pacifique** dans l'école ; on n'accepte pas certains vêtements griffés afin d'éviter le « taxage » et de donner aux élèves un **environnement sécuritaire**.

Stéphanie appuie son point de vue en faveur du code vestimentaire sur des valeurs.

Vanessa – Je partage le point de vue de Stéphanie, mais je crois que la direction de l'école aurait dû consulter le conseil étudiant. Nous sommes assez vieux pour que l'on tienne compte de nos opinions. Pour moi, la liberté c'est aussi le droit de dire ce que l'on pense.

Rémi fait obstacle au bon déroulement de la discussion en attaquant personnellement Vanessa pour discréditer son point de vue (attaque personnelle, outil 17).

Rémi – Ce que tu dis, Vanessa, ne me surprend pas. Depuis que tu es la présidente de la classe, tu veux tout décider par toi-même. J'ai trouvé les arguments de Stéphanie intéressants. Je n'avais pas vu le code vestimentaire de cette façon. Je suis d'accord avec le fait d'interdire les vêtements griffés pour empêcher le « taxage ». Par contre, défendre la pudeur ce n'est vraiment plus à la mode aujourd'hui.

À la fin de l'échange, la conclusion de Rémi exprime le résultat de sa réflexion sur la question posée dans le titre de cette discussion.

Outil 3
La narration

Qu'est-ce qu'une narration ?

- La narration est une des formes du dialogue.
- La narration est un récit qui consiste à relater des faits ou des événements sous une forme écrite ou orale.
- Elle est neutre, donc ne reflète pas l'opinion ou les sentiments du narrateur.

Démarche proposée

1. Cernez le sujet en vous assurant que votre titre et votre introduction posent bien votre sujet.

2. Organisez l'information.
   - Déterminez l'ordre de présentation des faits (chronologique, ordre d'importance, etc.).
   - Faites un plan.

3. Relatez les faits pertinents et essentiels :
   - en utilisant un vocabulaire précis ;
   - en établissant le contexte du sujet ;
   - en prenant soin de conclure la narration.

▍ DES FORMES DE DIALOGUE COMPLÉMENTAIRES
   - L'entrevue (outil 5)
   - La conversation (outil 1)

▍ DES PIÈGES À ÉVITER
   - Faire connaître son opinion ou ses sentiments sur les événements ou les faits que l'on veut relater.
   - Présenter les faits dans le désordre.
   - Ne pas conclure sa narration.

> **! ATTENTION**
>
> Cette démarche n'est pas linéaire. On peut revenir à l'une ou l'autre des étapes à n'importe quel moment.

Un modèle de narration

UNE VISITE À LA MOSQUÉE

Il faut un titre à une narration. Il s'agit d'un bon moyen pour cerner son sujet.

Il est intéressant d'ajouter un élément visuel à une narration.

Comme le titre, ce premier paragraphe d'introduction permet de bien cerner son sujet.

Dans le cadre de notre recherche sur les lieux sacrés du Québec, le mois dernier, j'ai visité une mosquée à l'occasion de la journée porte ouverte organisée par la communauté musulmane de Montréal. L'imam de la mosquée guidait la visite. J'ai appris qu'il est le chef religieux des musulmans, un peu comme le prêtre pour les catholiques, le pasteur pour les protestants ou le rabbin pour les juifs.

La première chose qui a retenu mon attention dans cette visite a été la façon de prier des musulmans. C'était particulièrement surprenant de voir le plancher de la mosquée complètement couvert de tapis! L'imam m'a expliqué que ces tapis servent à la prière. Les musulmans se prosternent sur ces tapis cinq fois par jour pour prier. Ils se placent alors en direction de La Mecque, la ville sainte des musulmans située en Arabie Saoudite. Cette ville est sacrée pour les musulmans parce que leur principal prophète, Muhammad, est né dans cette ville.

Ici, les faits choisis le sont par ordre d'importance. Ce n'est pas un ordre chronologique.

Erreur : dans une narration, on ne donne pas son opinion.

L'imam nous a aussi montré une fontaine que l'on trouve dans toutes les mosquées et qui sert à se purifier avant le début de la prière. J'ai trouvé cette fontaine très vieille et plutôt laide. Il nous a ensuite amenés vers une tribune, le *minbar*, d'où il s'adresse à des fidèles pendant le prêche.
La rencontre s'est terminée lorsqu'il nous a offert du jus, du thé et des biscuits de son pays d'origine, le Maroc.

J'ai retenu de ma visite que la prière jouait un rôle très important dans la vie des musulmans.

Il faut toujours une conclusion à une narration. Ici, elle met en évidence ce qui a été principalement retenu de la visite.

Outil 4
La délibération

Qu'est-ce qu'une délibération ?

- La délibération est une des formes du dialogue.

- C'est un échange d'opinions sur différents aspects d'une question (faits, intérêts, normes, valeurs, conséquences, etc.).

- Elle vise à en arriver à une prise de position commune.

Démarche proposée

1. Cernez le sujet en précisant le problème abordé dans la délibération, en indiquant les questions qui se rattachent à ce problème, les enjeux qui s'en dégagent et les solutions de compromis qui seraient acceptables pour tous les participants.

2. Organisez l'information.
   - Mettez vos idées en ordre.
   - Clarifiez votre opinion et vos arguments.
   - Préparez vos questions afin d'interroger les autres participants pour connaître leur point de vue.
   - Discutez des règles de fonctionnement à observer.

3. Adoptez une attitude positive qui vise la recherche d'une solution commune.

4. Discutez des opinions fondées sur des faits, des idées et des valeurs :
   - en exprimant clairement et de façon nuancée votre point de vue et vos arguments ;
   - en étant à l'écoute des autres participants dans un esprit ouvert, à la recherche de solutions ;
   - en évitant de nuire au déroulement de la délibération par des entraves au dialogue (outil 17), comme l'attaque personnelle ou l'argument d'autorité, qui risquent de faire obstacle à la recherche d'une décision commune ;
   - en concluant la délibération par une prise de décision commune qui respecte le point de vue des participants.

! ATTENTION

Cette démarche n'est pas linéaire. On peut revenir à l'une ou l'autre des étapes à n'importe quel moment.

■ DES FORMES DE DIALOGUE COMPLÉMENTAIRES
- La discussion (**outil 2**)
- Le débat (**outil 6**)

■ DES PIÈGES À ÉVITER
- Manquer de collaboration dans la recherche d'une solution.
- Arriver à une prise de position sans tenir compte du point de vue de l'ensemble des participants.

Un modèle de délibération

UNE ÉQUIPE DE SOCCER SOLIDAIRE

Jean-Philippe amorce la délibération en formulant clairement le problème de l'équipe et en appelant les autres à trouver une solution.

Jean-Philippe – Nous avons perdu les trois dernières parties, il faut trouver une solution à nos problèmes parce que nous allons nous retrouver derniers au classement des équipes.

Anne-Marie – Je crois que la solution est simple : il faut tout simplement faire jouer nos meilleurs joueurs le plus souvent possible, quitte à envoyer les plus faibles un peu moins souvent sur le terrain. Nous sommes la seule équipe de la ligue à faire jouer tout le monde également.

Louis – Ta solution n'a pas de bon sens Anne-Marie ! Le soccer est un jeu d'équipe. Le problème, c'est que nous ne jouons pas suffisamment en équipe. Je crois qu'en travaillant plus fort pendant les entraînements on arriverait à battre les autres équipes.

Louis a une attitude fermée. Sa critique n'aidera pas le groupe à trouver une solution commune.

La solution de Jean-Philippe reprend en partie les points de vue de Louis et d'Anne-Marie.

Jean-Philippe – Si on veut continuer de faire jouer tous les membres de notre équipe, il faut que les plus faibles s'améliorent. Alors, je pense qu'il ne faut pas arrêter de les faire jouer, mais, au contraire, il faut les faire jouer encore plus.

Anne-Marie – Jean-Philippe, je ne comprends pas ta solution. Explique-nous ton idée.

Anne-Marie recherche activement une solution en demandant des clarifications à Jean-Philippe.

Jean-Philippe – Nous pourrions faire une session d'entraînement de plus chaque semaine pour ceux qui ont plus de difficulté. Comme ça, toute l'équipe en profiterait.

Louis – Bonne idée. En plus d'améliorer l'équipe, tout le monde va pouvoir participer.

À la suite de la délibération, Anne-Marie se rallie à la solution trouvée par les autres membres de l'équipe.

Anne-Marie – Je veux bien essayer ta solution. On verra bien si on arrive à gagner les prochaines parties.

Outil 5
L'entrevue

! ATTENTION

Cette démarche n'est pas linéaire. On peut revenir à l'une ou l'autre des étapes à n'importe quel moment.

DES FORMES DE DIALOGUE COMPLÉMENTAIRES
- ☐ Le panel (**outil 7**)
- ☐ La narration (**outil 3**)

Qu'est-ce qu'une entrevue ?

- ■ L'entrevue est une des formes du dialogue.

- ■ C'est une rencontre qui permet d'interroger une personne sur ses activités, ses idées, ses expériences.

- ■ On l'utilise lorsqu'on veut mieux connaître une personne ou le sujet que cette personne maîtrise.

Démarche proposée

1. Cernez le sujet en précisant ce que vous cherchez à connaître de la personne interviewée : éléments de sa vie personnelle, de son travail, de ses compétences particulières, de son expérience, etc.

2. Organisez l'information.
   - ☐ Faites des recherches sur la personne interviewée.
   - ☐ Mettez vos questions en ordre avant l'entrevue.

3. Interrogez une personne sur ses activités, ses idées et ses expériences :
   - ☐ en commençant l'entrevue par des questions d'usage. Par exemple : « En quelques mots, pourriez-vous nous dire qui vous êtes ? » ;
   - ☐ en posant clairement vos questions ;
   - ☐ en posant en premier des questions générales et ensuite des questions portant sur des points plus précis ;
   - ☐ en écoutant la personne interviewée afin d'ajuster vos questions selon les circonstances ;
   - ☐ en concluant l'entrevue par des remerciements.

DES PIÈGES À ÉVITER

- ☐ Ne pas se préparer suffisamment, ce qui empêche de poser des questions pertinentes à la personne interviewée.
- ☐ S'éloigner du sujet que l'on veut aborder avec la personne interviewée, notamment en étant trop anecdotique.
- ☐ Ne pas être à l'écoute de la personne interviewée en ne pensant qu'aux prochaines questions qu'on veut lui poser.

Un modèle d'entrevue

UN CHEF AUTOCHTONE NOUS PARLE DE SES CROYANCES RELIGIEUSES

Saïd – Bonjour monsieur. Pourriez-vous nous dire en quelques mots qui vous êtes et quel est votre rôle dans votre communauté ?

Saïd commence son entrevue comme il se doit en demandant à son invité de se présenter.

Le chef algonquin – *Kwey wichkewan,* Saïd. Cela signifie en algonquin : « Bonjour, mon ami Saïd ». Vous l'ignorez peut-être, mais notre langue, l'algonquin, est parlée encore aujourd'hui par plus de 3000 personnes au Québec et en Ontario. Je viens de Kipawa, une communauté située dans une très belle région de l'Abitibi-Témiscamingue. On y trouve de très jolis lacs. D'ailleurs, le mot *kipawa* signifie « eau » en algonquin.

Saïd pose en premier lieu une question générale qui correspond au sujet de l'entrevue.

Saïd – Pourriez-vous nous dire quelques mots au sujet des croyances religieuses de votre peuple ?

Le chef algonquin – Nos croyances traditionnelles sont basées sur la nature. Pour les Algonquins, la règle religieuse de base est le respect de la nature. Cette nature ne nous appartient pas, pas plus que la terre sur laquelle nous vivons. Nous sommes parfois choqués par le peu de respect de certains Blancs envers la nature. Selon nos traditions, la nature a été créée par le Grand Esprit, *Kitchi Manito*, auquel nous vouons le plus grand respect. Les Algonquins ont traditionnel-lement offert du maïs à ce Grand Esprit pour qu'il veille sur eux.

Saïd – Pourriez-vous nous expliquer un peu plus ce que signifie la nature dans les croyances religieuses de votre peuple ?

Saïd enchaîne avec une question plus spécifique. Son entrevue va du général au particulier. Il fait aussi preuve d'écoute en reprenant pour l'approfondir un élément de la réponse du chef algonquin.

Le chef algonquin – La nature ne nous appartient pas et seule une attitude respectueuse nous permet d'en profiter. Chasser ou pêcher doit se faire dans le respect de la nature et de l'esprit des animaux. Les animaux ont un esprit et cela mérite notre respect.

La conclusion revient sur le thème et annonce à l'interviewé que l'entrevue est maintenant terminée.

Saïd – Je tiens à vous remercier pour cette entrevue. Nous en savons maintenant un peu plus sur les croyances religieuses des Algonquins.

Outil 6
Le débat

Qu'est-ce qu'un débat ?

- Le débat est une des formes du dialogue.

- C'est un échange d'idées qui vise à mettre en valeur le point de vue des participants.

- On l'utilise lorsqu'on veut organiser une discussion dirigée par un modérateur ou une modératrice de façon à ce que les échanges permettent de faire ressortir le point de vue des participants.

Démarche proposée

1. Cernez le sujet en précisant les thèmes qui seront abordés lors du débat, les temps alloués aux participants et la personne qui jouera le rôle de modérateur ou modératrice.

2. Organisez l'information.
   - ☐ Rencontrez au préalable les participants pour vous entendre sur les règles éthiques à suivre pendant le débat : respect, écoute, etc.
   - ☐ Mettez en ordre à l'avance les questions que posera le modérateur ou la modératrice.

3. Assurez-vous que le modérateur ou la modératrice :
   - ☐ présente les participants, les thèmes abordés et les règles à suivre ;
   - ☐ pose des questions qui permettent aux participants de préciser leurs positions sur les thèmes abordés ;
   - ☐ favorise l'échange entre les participants de façon à ce que l'on assiste à un véritable débat d'idées.

DES FORMES DE DIALOGUE COMPLÉMENTAIRES
- ☐ La discussion (outil 2)
- ☐ La délibération (outil 4)

DES PIÈGES À ÉVITER
- ☐ Ne pas fixer à l'avance de règles claires pour le débat.
- ☐ Ne pas faire respecter ces mêmes règles au moment du débat.
- ☐ Se contenter de faire exprimer les points de vue sans favoriser un véritable échange d'idées entre les participants.

! ATTENTION

Cette démarche n'est pas linéaire. On peut revenir à l'une ou l'autre des étapes à n'importe quel moment.

Un modèle de débat

ÉLECTION À LA PRÉSIDENCE DE LA CLASSE : UN DÉBAT POUR ÉCLAIRER NOS CHOIX

La modératrice – Bonjour. Je vais vous présenter les deux candidates et le candidat à cette élection : Karine, Cristina et Marc-Olivier. Ils auront chacun 5 minutes pour vous expliquer leur programme électoral. Par la suite, ils vont débattre entre eux pendant 10 minutes. J'invite chaque participant à faire preuve de respect et d'ouverture d'esprit envers les autres. Après le débat, vous pourrez poser vos questions aux différents candidats. Les noms des candidats ont été tirés au sort pour déterminer l'ordre d'intervention. Karine a été choisie pour parler en premier. À toi, Karine.

La modératrice fixe les règles du débat.

Karine – Je me présente à la présidence de la classe parce que je voudrais faire un journal pour les élèves de 1re et 2e secondaire. Selon moi, le journal actuel de l'école parle uniquement de ce qui intéresse les élèves de 5e secondaire. Avec notre propre journal, nous pourrions avoir des chroniques qui nous intéressent vraiment, une chronique sur la mode par exemple. [...]

La modératrice – Merci Karine. À Marc-Olivier maintenant.

Marc-Olivier – Moi, ce qui m'intéresse si je suis élu, c'est d'organiser une ligue de soccer avec les classes de 2e secondaire. On pourrait faire des tournois à la fin de l'année pour connaître la meilleure équipe. Je crois que le projet de Karine ne marchera pas. La chronique de mode, ça ne va intéresser que les filles.

Marc-Olivier ne respecte pas l'une des règles de ce débat qui prévoyait que la discussion devait suivre la présentation des programmes des candidats.

La modératrice – Marc-Olivier, tu dois présenter ton programme sans critiquer la position des autres candidats. La discussion aura lieu après les présentations. Je vais maintenant donner la parole à notre dernière candidate, Cristina.

Comme il se doit, la modératrice rappelle Marc-Olivier à l'ordre.

Cristina – Bonjour. Pour ma part, je me présente à la présidence parce que je voudrais former un comité vert. Le comité pourrait s'occuper du recyclage et du nettoyage de la cour au printemps. Il faut faire notre part pour l'environnement. [...]

La modératrice – Merci à nos participants. Nous allons maintenant passer à la période de discussion. Nous commencerons par le programme de Karine qui propose la création d'un journal si elle est élue. Avez-vous des questions sur le programme de Karine ?

À la fin de la présentation des programmes, la modératrice introduit une nouvelle forme du dialogue : la discussion.

Le débat se poursuit avec la discussion sur les trois programmes des candidats. À la fin de la discussion, la modératrice conclut.

La modératrice – Je remercie et félicite les candidats pour avoir fait preuve de respect et d'ouverture d'esprit dans ce débat. C'est maintenant le moment de passer aux questions de l'assistance.

Outil 7
Le panel

■ DES FORMES DE DIALOGUE COMPLÉMENTAIRES

☐ L'entrevue (**outil 5**)

☐ La discussion (**outil 2**)

■ DES PIÈGES À ÉVITER

☐ Ne pas fixer à l'avance avec les panélistes les règles de fonctionnement du panel.

☐ Ne pas faire respecter ces mêmes règles au moment du panel.

☐ Ne pas poser de questions aux panélistes après leur présentation.

Qu'est-ce qu'un panel ?

■ Le panel est une des formes du dialogue.

■ C'est une rencontre organisée qui suppose un présentateur ou une présentatrice, où des personnes-ressources échangent des connaissances dans le but de mieux faire connaître un sujet.

■ On l'utilise lorsqu'on veut profiter des connaissances particulières de certaines personnes-ressources en discutant avec elles.

Démarche proposée

1. Cernez le sujet en précisant les thèmes qui seront abordés lors du panel, les temps alloués aux panélistes et désignez la personne qui jouera le rôle de présentateur ou de présentatrice.

2. Organisez l'information.

   ☐ Rencontrez au préalable les panélistes afin de vous entendre avec eux sur le déroulement du panel : temps prévus de présentation, ordre des présentations.

   ☐ Recueillez auprès des panélistes les renseignements nécessaires sur leur vie et leur expérience dans le but de les présenter brièvement aux élèves au moment du panel.

3. Informez-vous du point de vue des différents panélistes :

   ☐ en présentant les panélistes, les thèmes abordés et en respectant l'ordre prévu de présentation ;

   ☐ en demeurant attentif tout au long des présentations des différents panélistes ;

   ☐ en posant des questions qui permettent aux panélistes de préciser leurs points de vue sur les thèmes abordés.

Un modèle de panel

LES COOPÉRATIVES
LES VALEURS IMPLIQUÉES DANS L'ESPRIT DE COOPÉRATION

Le présentateur – Nous organisons aujourd'hui un panel pour nous renseigner davantage sur les coopératives. Celles-ci sont très nombreuses au Québec. Comme nous le verrons, participer à une coopérative, c'est aussi avoir certaines valeurs en commun avec d'autres coopérants. Nos panélistes viennent du milieu des coopératives, ils pourront sûrement vous

en apprendre beaucoup sur différents types de coopératives et sur les valeurs qui les animent. Je vous présente donc M. Pierre Lacombe qui est directeur de la caisse populaire de notre quartier, M. André Lépine qui s'occupe d'une coopérative étudiante et Mme Louise Lafrance qui est membre d'une coopérative agricole. Je donne la parole à M. Lacombe qui va vous parler en premier. M. Lépine et Mme Lafrance suivront. À la suite de ces présentations, vous pourrez poser vos questions à nos panélistes.

Pierre Lacombe – Je vais vous dire un mot sur notre caisse populaire. Possédez-vous un compte d'épargne dans notre caisse ? Si c'est le cas, vous en êtes membre. En plus d'être un épargnant, vous êtes en effet devenu membre d'une coopérative, c'est-à-dire un coopérant. J'attire votre attention sur le fait que, comme membre de notre caisse, même si vous n'avez pas déposé beaucoup d'argent dans votre compte, vous avez autant de pouvoir que n'importe quel autre coopérant de la caisse. Dans les caisses, tous les coopérants sont égaux, quel que soit le montant d'argent qu'ils possèdent dans leur compte. Ils ont le droit de donner leur point de vue sur la caisse, de voter pour en élire les dirigeants ou encore de se présenter à la direction de la caisse et de s'y faire élire eux-mêmes.

Le présentateur – Merci M. Lacombe. Nous allons maintenant donner la parole à M. Lépine qui est membre d'une coopérative étudiante.

André Lépine – Bonjour. Vous ne saviez peut-être pas qu'il existait des coopératives étudiantes ! Dans mon cégep, nous avons mis sur pied une coopérative de livres et de fournitures scolaires. Ce sont des étudiants qui s'occupent de la vente au magasin du collège. Pour être membre de la coopérative étudiante, il suffit d'acheter une part sociale au coût de 10,00 $. En plus de nous offrir des manuels et des fournitures scolaires à bon prix, la formation de notre coopérative a été une expérience humaine très enrichissante. Nous avons appris à travailler ensemble, à relever des défis et à faire preuve d'autonomie. Plusieurs d'entre nous travaillons à la coopérative pour payer nos études. Plus tard, lorsque vous ferez vos études collégiales, je vous encourage à devenir membre d'une coopérative étudiante.

Le présentateur – Merci M. Lépine. Mme Lafrance qui travaille dans une coopérative agricole va maintenant vous adresser la parole.

Louise Lafrance – Bonjour. Vous savez sans doute que nos ancêtres étaient presque tous des cultivateurs qui vivaient à la campagne. Ces derniers ont appris très tôt à s'entraider. À la fin de l'été, ils se mettaient souvent à plusieurs familles pour faire les récoltes. C'est probablement de cette tradition d'entraide que sont issues les premières coopératives agricoles. Par exemple, dans ma coopérative agricole, nous nous sommes groupés tous ensemble pour acheter de la machinerie. Les cultivateurs les moins riches n'auraient pu se procurer des machines agricoles aussi dispendieuses. Ayant été achetées collectivement, les machines appartiennent à tous et sont utilisées par chacun au besoin, par exemple, au moment des récoltes.

Le présentateur – Je remercie Mme Lafrance et tous nos panélistes. Notre panel est maintenant terminé.

Le présentateur annonce le thème, les panélistes et l'ordre dans lequel se dérouleront leurs présentations.

M. Lacombe informe les élèves des valeurs que véhicule sa coopérative.

Comme M. Lacombe de la caisse populaire, M. Lépine parle des autres valeurs associées à son expérience dans une coopérative étudiante.

Une autre valeur associée aux coopératives est mise en évidence par Mme Lafrance.

À la fin du panel, le présentateur oublie de demander aux élèves s'ils ont des questions ou des commentaires.

Tableau des différents moyens pour élaborer un point de vue

Il existe plusieurs façons d'élaborer un point de vue dans la pratique du dialogue. Ce tableau en présente cinq moyens différents. Vous trouverez dans la colonne « Contexte d'utilisation » des indications sur la meilleure façon d'utiliser l'un ou l'autre de ces moyens pour élaborer un point de vue.

MOYENS POUR ÉLABORER UN POINT DE VUE	DÉFINITIONS	CONTEXTE D'UTILISATION	EXEMPLES
Outil 8 La description 	Énumération la plus complète possible de caractéristiques propres à une situation d'ordre éthique ou à une expression du religieux.	On l'utilise lorsqu'on cherche à rendre compte de situations d'ordre éthique ou d'expressions du religieux. On la compose en répondant à certaines questions susceptibles de nous donner une bonne description de ces phénomènes : qui ? quoi ? quand ? où ? comment ? pourquoi ? combien ? etc.	Dans le cadre d'une narration (**outil 3**) sur l'Église catholique, vous **décrivez** l'église de votre quartier.
Outil 9 La comparaison 	Établissement de différences ou de ressemblances entre deux ou plusieurs éléments.	On l'utilise lorsqu'on veut décrire et comparer des situations d'ordre éthique ou des expressions du religieux. De telles comparaisons peuvent permettre de tirer certaines conclusions.	Vous **comparez** les limitations à la liberté dans votre milieu familial et à l'école.

SECTION 2

Des moyens pour élaborer un point de vue

MOYENS POUR ÉLABORER UN POINT DE VUE	DÉFINITIONS	CONTEXTE D'UTILISATION	EXEMPLES
Outil 10 La synthèse 	Résumé ordonné et cohérent des principaux éléments (idées, faits, expériences, arguments, etc.) d'une discussion, d'un récit ou d'un texte.	On l'utilise lorsqu'on veut : - mettre de l'ordre dans ses idées ou ses arguments ; - faire le point sur les idées et les arguments exprimés dans une discussion, un débat, un panel, etc. ; - résumer de façon cohérente un chapitre de livre, un article de journal, de l'information recueillie sur Internet, etc.	À la fin d'un panel (**outil 7**) sur les valeurs éthiques associées à la sexualité chez les adolescents, vous présentez une **synthèse** des interventions des différents panélistes.
Outil 11 L'explication 	Développement qui vise à mieux faire comprendre le sens de quelque chose.	On l'utilise lorsqu'on veut : - clarifier des idées, un point de vue ou des arguments en les rendant plus explicites ; - ajouter des définitions et des exemples à un texte pour en faciliter la compréhension ; - donner, dans un débat, des explications supplémentaires en réponse aux questions posées par des participants.	Vous discutez (**outil 2**) du sens de la génu-flexion (fléchir un genou en signe de respect) chez les catholiques. En réponse à une question d'un étudiant de confession musulmane, vous **expliquez** le sens de cette pratique dans le catholicisme.
Outil 12 La justification 	Présentation d'idées et d'arguments qui sont ordonnés de façon logique dans le but de démontrer et de faire valoir un point de vue.	On l'utilise lorsqu'on veut élaborer davantage son point de vue afin de convaincre une ou des personnes par une argumentation pertinente et cohérente.	Dans un débat (**outil 6**) sur les valeurs véhiculées par les jeux électroniques, vous **justifiez** votre position contre la violence dans ces jeux.

Outil 8
La description

Qu'est-ce qu'une description ?

- La description est un moyen pour élaborer un point de vue.

- C'est l'énumération la plus complète possible des caractéristiques propres à une situation d'ordre éthique ou à une expression du religieux.

- On l'utilise lorsqu'on cherche à rendre compte de situations d'ordre éthique ou d'expressions du religieux.

Démarche proposée

1. Répondez aux questions suivantes si elles sont pertinentes pour ce que vous voulez décrire :
   - ☐ Qui ? Fondateur, auteur, organisateur, groupe, etc.
   - ☐ Quoi ? Œuvre artistique, rassemblement, événement, fait, etc.
   - ☐ Quand ? Année, époque, saison, etc.
   - ☐ Où ? Lieu, environnement, etc.
   - ☐ Comment ? Déroulement, moyen, etc.
   - ☐ Pourquoi ? Motivation, intérêt, besoin, etc.
   - ☐ Combien ? Fréquence, nombre de personnes, etc.
   - ☐ Etc.

2. Assurez-vous que la description soit complète.
   - ☐ Les réponses aux questions énumérées ci-haut vous ont-elles permis de décrire l'ensemble de votre sujet ? Sinon, complétez votre description.
   - ☐ Posez-vous la question suivante : « Est-ce que j'ai décrit uniquement ce qui m'intéresse ? » Si oui, rectifiez en décrivant toutes les caractéristiques.

3. Déterminez l'ordre de présentation de votre description.
   - ☐ Faites un plan de votre description.
   - ☐ Dans votre description, présentez d'abord les éléments les plus importants et ensuite les éléments secondaires.
   - ☐ Prenez soin de conclure votre description.

> **! ATTENTION**
>
> Cette démarche n'est pas linéaire. On peut revenir à l'une ou l'autre des étapes à n'importe quel moment.

■ DES MOYENS COMPLÉMENTAIRES POUR ÉLABORER UN POINT DE VUE
- ☐ La synthèse (**outil 10**)
- ☐ La comparaison (**outil 9**)

■ DES PIÈGES À ÉVITER
- ☐ Faire une description partielle qui ne présente pas toutes les caractéristiques de l'élément à décrire.
- ☐ Faire une description subjective qui s'apparente davantage à une opinion qu'à une description.
- ☐ Présenter les faits dans le désordre.

Un modèle de description

UNE VISITE À L'ÉGLISE DE MON QUARTIER

Il est intéressant d'ajouter un élément visuel à une description.

Dans le cadre d'une recherche sur différents lieux saints, on demande à Marie-Ève de décrire l'église de son quartier.

L'église de mon quartier est une église catholique qui a été construite dans les années 1960. Son architecture est moderne et ne ressemble en rien aux anciennes églises du Québec. Son clocher est bizarre ! Malheureusement, il n'a pas de cloches comme les églises anciennes, seulement un carillon électrique. Personnellement, je préfère vraiment les anciennes églises aux nouvelles. Mon église est située près d'un parc. Elle peut recevoir près de 300 fidèles lorsqu'elle est remplie à pleine capacité.

Marie-Ève insère son opinion sur le clocher de l'église dans sa description. Une telle opinion n'a pas sa place dans une description.

Marie-Ève répond à la question « quoi ? » et à la question « quand ? » en précisant le moment de construction de son église.

Marie-Ève répond à la question « où ? » en parlant du parc et à la question « combien ? » en précisant le nombre de fidèles.

En entrant à l'intérieur, on se retrouve dans la nef. De chaque côté, les murs sont décorés de sculptures de bois qui constituent le chemin de croix de notre église. À l'avant, l'autel occupe la place principale. Du côté droit se trouve la chaire où se place le prêtre pour s'adresser aux fidèles pendant les cérémonies religieuses. Au-dessus de l'autel, une lampe est allumée en permanence pour rappeler que Dieu (le Saint-Esprit) est présent dans l'église.

Marie-Ève répond à la question « quoi ? ».

À certaines occasions, l'église est décorée pour souligner une fête religieuse particulière. À Noël, par exemple, une crèche est installée dans l'église afin de souligner la naissance de Jésus, le fils de Dieu.

Marie-Ève répond à la question « quand ? ».

En conclusion, j'espère que la description de mon église vous aura permis de mieux connaître cet édifice religieux important de mon quartier.

Comme il se doit, Marie-Ève complète sa description par une conclusion.

Outil 9
La comparaison

Qu'est-ce qu'une comparaison ?

- La comparaison est un moyen pour élaborer un point de vue.

- Elle permet d'établir des différences ou des ressemblances entre deux ou plusieurs éléments dans le but de comparer des situations éthiques ou des manifestations du religieux.

- On l'utilise lorsqu'on veut décrire et comparer des situations d'ordre éthique ou des expressions du religieux.

- Elle peut permettre de tirer certaines conclusions.

Démarche proposée

1. Cernez le sujet de votre comparaison en précisant les situations d'ordre éthique ou les manifestations du religieux que vous voulez comparer.

2. Établissez les différences et les ressemblances entre ces situations ou ces manifestations.

3. Si nécessaire, tirez certaines conclusions.

4. Posez-vous les questions suivantes :
   - Les situations ou les manifestations choisies peuvent-elles être comparées ?
   - Ma comparaison tient-elle compte des principales caractéristiques des deux situations comparées ?
   - Ma comparaison manifeste-t-elle un parti pris pour l'une ou l'autre des situations ou des manifestations comparées ?

5. Déterminez l'ordre de présentation de votre comparaison.
   - Faites un plan de votre comparaison.
   - Dans votre comparaison, décrivez en premier lieu les points communs, par la suite les différences et, si nécessaire, tirez une conclusion.

! ATTENTION

Cette démarche n'est pas linéaire. On peut revenir à l'une ou l'autre des étapes à n'importe quel moment.

■ DES MOYENS COMPLÉMENTAIRES POUR ÉLABORER UN POINT DE VUE

- La description (**outil 8**)
- La synthèse (**outil 10**)

■ DES PIÈGES À ÉVITER

- Faire deux descriptions sans établir de liens entre elles.
- Faire une comparaison partiale qui valorise un des éléments à outrance et dévalorise l'autre de façon exagérée.
- Tirer d'une comparaison des conclusions qui reflètent nos préférences plutôt que le résultat d'un raisonnement logique.

Un modèle de comparaison

LES LIMITES À MA LIBERTÉ, À LA MAISON COMME À L'ÉCOLE

Afin de préparer une discussion en classe sur les limites à la liberté qui peuvent être imposées par l'école et la famille, Jean Philippe doit établir une comparaison entre les règles de vie à l'école et à la maison.

Ce n'est pas seulement à l'école que des règlements limitent notre liberté. Dans ma famille, il y a aussi des règlements, parfois semblables à ceux de l'école, et parfois différents. Avant d'examiner les points communs et les différences, je vais décrire les deux situations.

À l'école, plusieurs règlements limitent notre liberté. Il faut respecter un code vestimentaire. On ne nous oblige pas à porter un costume, mais quelques vêtements sont interdits. En passant, je trouve ça ridicule d'interdire certains vêtements griffés parce qu'on veut empêcher le «taxage». Nous devons manifester du respect envers l'autorité en utilisant le vouvoiement et un langage correct. La ponctualité est aussi très importante. Il faut respecter les horaires de l'école sous peine d'avoir une punition.

Chez moi, il n'y a pas vraiment de code vestimentaire. Je peux choisir les vêtements que j'aime à condition que le prix soit raisonnable. Pour ce qui est de la politesse, je ne vouvoie pas mes parents, mais je dois leur manifester du respect sous peine d'être puni. Mes parents n'acceptent pas non plus que je parle mal. Au sujet de la ponctualité, ma mère ne peut pas supporter que je sois en retard dans mes devoirs ou dans le ménage de ma chambre.

Si je compare les deux situations, je constate que pour la façon de m'habiller je suis plus libre à la maison. Pour ce qui est du respect et de la politesse, la situation est semblable même si, chez moi, je tutoie mes parents alors que je vouvoie mon professeur. Finalement, pour la ponctualité, ma famille est parfois encore plus sévère que les enseignants de l'école.

En conclusion, je dirais que l'école, comme ma famille, impose des limites à ma liberté, mais que les habitudes à la maison et à l'école ne sont pas toujours les mêmes. Après avoir comparé les deux situations, je trouve que le code vestimentaire de l'école est trop sévère.

Dans ce premier paragraphe, Jean Philippe annonce les deux situations qu'il veut comparer et l'angle sous lequel il veut faire cette comparaison.

Jean Philippe donne son opinion sur le code vestimentaire ce qui n'est pas le but recherché dans une comparaison.

Ici, Jean Philippe reprend un à un pour sa maison les éléments de sa comparaison qu'il avait présentés en premier lieu pour l'école.

La première partie de la conclusion de Jean Philippe découle logiquement de sa comparaison. Par contre, la deuxième partie manifeste davantage son point de vue personnel.

Outil 10
La synthèse

Qu'est-ce qu'une synthèse ?

■ La synthèse est un moyen pour élaborer un point de vue.

■ C'est un résumé ordonné et cohérent des principaux éléments (idées, faits, expériences, arguments, etc.) d'une discussion, d'un récit ou d'un texte.

■ On l'utilise lorsqu'on veut :
  - mettre de l'ordre dans ses idées ou ses arguments ;
  - faire le point sur les idées et les arguments exprimés dans une discussion, un débat, un panel, etc. ;
  - résumer de façon cohérente un chapitre d'un livre, un article de journal, de l'information recueillie sur Internet, etc.

Démarche proposée

1. Cernez de façon précise ce dont vous voulez faire une synthèse.

2. Répondez aux questions suivantes afin de vous aider à réaliser votre synthèse :
  - Quel est le fait, l'idée, l'expérience ou l'argument qui ressort le plus dans ce que vous avez retenu pour votre synthèse ?
  - Quels sont les faits, les idées, les expériences ou les arguments plus secondaires que vous trouveriez important d'inclure à votre synthèse ?

3. Assurez-vous que la synthèse est complète et conforme à ce que vous voulez résumer.
  - Validez votre synthèse en vérifiant si vous avez bien retenu les éléments essentiels. Les réponses aux questions précédentes vous ont-elles permis de décrire l'ensemble de votre sujet ? Sinon, complétez votre description.
  - Posez-vous la question suivante : « Ai-je tenu compte de tous les éléments essentiels ? » Si non, rectifiez en les incluant dans votre synthèse.

4. Déterminez l'ordre de présentation de votre synthèse.
  - Le sujet que vous voulez synthétiser.
  - Les éléments essentiels de votre sujet.
  - Les éléments secondaires que vous jugez nécessaire d'inclure.
  - Une conclusion.

! ATTENTION

Cette démarche n'est pas linéaire. On peut revenir à l'une ou l'autre des étapes à n'importe quel moment.

■ **DES MOYENS COMPLÉMENTAIRES POUR ÉLABORER UN POINT DE VUE**

  - La description (**outil 8**)
  - La comparaison (**outil 9**)

■ **DES PIÈGES À ÉVITER**

  - Faire une synthèse qui s'en tient à des éléments secondaires et laisser de côté des éléments essentiels.
  - Ne pas suivre un ordre de présentation qui commence par la présentation des éléments essentiels et enchaîne avec les éléments secondaires.

Un modèle de synthèse pour élaborer votre point de vue

PANEL
LES ENJEUX ÉTHIQUES DE L'HYPERSEXUALISATION
CHEZ LES ADOLESCENTES ET LES ADOLESCENTS

À la fin d'un panel (outil 7) sur les valeurs éthiques associées à la sexualité chez les adolescents, la présentatrice, une étudiante de la classe, fait une synthèse de la contribution des différents panélistes.

Marie-Claude – Je remercie nos panélistes, Mme Poulain, l'infirmière de l'école, Mme Lapante, la sexologue de notre CLSC, notre professeur d'éthique et culture religieuse, M. Girard, ainsi que les élèves de la classe qui ont participé à ce panel. Avant de terminer, je voudrais faire une brève synthèse de nos discussions.

Notre panel portait sur les questions éthiques qui peuvent se poser à des adolescentes et des adolescents qui découvrent leur sexualité de plus en plus tôt. Nous avons constaté que nous vivons dans un monde de plus en plus hypersexualisé et que les jeunes n'échappent pas à ce phénomène.

Mme Laplante nous a entretenus du phénomène de l'hypersexualisation des jeunes. Elle a noté que les modes vestimentaires très sexy que l'on propose aujourd'hui aux jeunes ne sont pas sans conséquence sur la conception de la sexualité. Pour certains jeunes, cette hypersexualisation est associée à d'autres phénomènes plus inquiétants comme l'intérêt pour la cyberpornographie et le clavardage sexuel sur Internet. Elle a conclu que, dans ce contexte d'hypersexualisation, la sexualité peut devenir un moyen de séduction au détriment d'autres valeurs humaines associées à la sexualité, l'amour par exemple.

Mme Poulin a ensuite poursuivi sur le même sujet en insistant cette fois sur le fait que ce phénomène est souvent associé à une vie sexuelle de plus en plus précoce. Selon elle, les jeunes sont mal préparés à vivre si tôt une expérience aussi marquante que les premières relations sexuelles. Pour Mme Poulin, sexualité rime aussi avec responsabilité. Elle nous a rappelé que chaque année plusieurs jeunes adolescentes devenaient enceintes.

Finalement, notre professeur a conclu ce panel en rappelant que la sexualité est une façon nouvelle pour les jeunes d'expérimenter leur liberté et leur autonomie, mais que cela devait se faire de façon responsable et dans le respect de certaines règles. Il s'est aussi dit inquiet d'apprendre qu'il y a souvent de la violence et de l'intimidation entre des jeunes qui débutent leur vie sexuelle.

En conclusion, nos panélistes ont abordé plusieurs des enjeux éthiques qui sont associés au phénomène de l'hypersexualisation des adolescents. Merci à tous pour votre participation.

Marie-Claude commence sa synthèse en rappelant le sujet du panel et la principale constatation des panélistes.

Dans sa synthèse, Marie-Claude insiste sur le sujet du panel qui porte sur les enjeux éthiques d'un phénomène comme l'hypersexualisation des adolescents.

Comme il se doit, la synthèse de Marie-Claude se termine par une brève conclusion.

Outil 11
L'explication

Qu'est-ce qu'une explication ?

- L'explication est un moyen pour élaborer un point de vue.

- C'est un développement qui vise à mieux faire comprendre le sens de quelque chose.

- On l'utilise lorsqu'on veut :
  - clarifier des idées, un point de vue ou des arguments en les rendant plus explicites ;
  - ajouter des définitions et des exemples à un texte pour en faciliter la compréhension ;
  - dans un débat, donner des explications supplémentaires en réponse aux questions posées par des participants.

Démarche proposée

1. Cernez dans votre sujet ce qui mériterait plus d'explications.

2. Trouvez des exemples, des définitions ou d'autres renseignements qui permettraient de mieux expliquer certains aspects de votre sujet.

3. Posez-vous les questions suivantes :
   - Quels aspects de mon sujet mériteraient plus d'explications ?
   - Quels seraient les meilleurs moyens, définitions ou exemples pour mieux expliquer mon sujet ?

4. Déterminez l'ordre de présentation de votre explication.
   - Faites un plan de votre explication.
   - Formulez d'abord la partie la plus générale de votre explication en utilisant, si possible, une définition de ce que vous voulez expliquer.
   - Poursuivez avec des exemples.
   - Si nécessaire, terminez avec certains cas particuliers ou exceptionnels.

! ATTENTION

Cette démarche n'est pas linéaire. On peut revenir à l'une ou l'autre des étapes à n'importe quel moment.

DES MOYENS COMPLÉMENTAIRES POUR ÉLABORER UN POINT DE VUE

- La justification (**outil 12**)

DES PIÈGES À ÉVITER

- Donner une explication qui complique ce qu'on veut expliquer au lieu de le rendre plus compréhensible.
- Ne donner que des exemples secondaires ou des exceptions pour expliquer son sujet.
- Ne pas définir les termes qu'on veut expliquer.
- Faire une description.

Un modèle d'explication pour élaborer votre point de vue

POURQUOI LES CATHOLIQUES SE METTENT-ILS À GENOUX ?

Dans une discussion en classe sur les rituels des différentes religions, on se demande quel sens donner au fait que les catholiques se mettent à genoux ou encore font une génuflexion (fléchir un seul genou) dans certaines circonstances.

Aïcha – J'ai remarqué que les catholiques se mettent à genoux ou encore font des génuflexions à divers moments. Je ne comprends pas très bien ce que cela signifie.

Aïcha demande une explication à Samuel.

Samuel – Il s'agit d'un acte d'humilité par lequel nous reconnaissons qu'il existe un être supérieur que nous nous devons d'adorer. Les catholiques se mettent à genoux à diverses occasions, par exemple pour prier ou, à la messe, au moment de l'Eucharistie. Il y a aussi des génuflexions que le prêtre ou des fidèles font parfois. Dans ce cas, la génuflexion exprime les mêmes sentiments religieux, mais se limite à une flexion ponctuelle d'une jambe. Mon père m'a dit que les fidèles se mettaient de moins en moins à genoux à l'église. Certains catholiques se contentent d'exprimer cette humilité et cette adoration envers Dieu en s'inclinant légèrement vers l'avant. Dans leur vie privée, des catholiques prient souvent à genoux pour exprimer leur dévotion. À l'époque des anciennes traditions québécoises, les enfants de chaque famille s'agenouillaient devant leur père au Jour de l'An pour recevoir sa bénédiction. Cette tradition est aujourd'hui presque complètement disparue.

L'explication de Samuel lui permet de clarifier le sens de ce rituel dans la religion catholique.

Samuel distingue le fait de se mettre à genoux de la génuflexion dont il donne une définition.

Pour rendre son explication plus concrète, il donne quelques exemples de cas où les catholiques se mettent à genoux ou encore font une génuflexion.

– Chez les musulmans, vous mettez-vous à genoux pour prier Dieu ?

Aïcha – Certainement ! Les musulmans se prosternent plusieurs fois pour chacune des prières quotidiennes. Ils le font généralement sur un petit tapis qui est orienté vers La Mecque, le plus grand lieu saint pour les musulmans. Il s'agit aussi pour nous d'un geste d'humilité devant Dieu. [...]

Aïcha entreprend à son tour une explication sur le sens de ce rituel chez les musulmans.

Outil 12
La justification

Qu'est-ce qu'une justification ?

- La justification est un moyen pour élaborer un point de vue.

- C'est une présentation d'idées et d'arguments qui sont ordonnés de façon logique dans le but de démontrer et de faire valoir un point de vue.

- On l'utilise lorsqu'on veut élaborer davantage son point de vue afin de convaincre une ou des personnes par une argumentation pertinente et cohérente.

Démarche proposée

1. Cernez dans votre sujet, le point de vue que vous souhaitez justifier davantage.

2. Précisez clairement votre point de vue, vos arguments et les objections que l'on pourrait vous faire.

3. Assurez-vous que vos arguments sont pertinents, cohérents et suffisants pour convaincre d'autres interlocuteurs de la justesse de votre point de vue.

4. Posez-vous les questions suivantes :
   - Le point de vue que je veux justifier est-il clairement exprimé ?
   - Les arguments et les exemples de ma justification sont-ils pertinents ? Ces arguments sont-ils suffisants pour amener les autres à partager mon point de vue dans une discussion ? La présentation de mes arguments est-elle cohérente ?
   - Dans ma justification, est-ce que je tiens compte des objections à mon point de vue formulées par les autres interlocuteurs ?

5. Déterminez l'ordre de présentation de votre justification.
   - Présentation claire de votre point de vue.
   - Présentation de vos arguments, de vos exemples.
   - Présentation et discussion des objections des autres interlocuteurs.

! ATTENTION

Cette démarche n'est pas linéaire. On peut revenir à l'une ou l'autre des étapes à n'importe quel moment.

DES MOYENS COMPLÉMENTAIRES POUR ÉLABORER UN POINT DE VUE

- L'explication (**outil 11**)

DES PIÈGES À ÉVITER

- Faire appel à des arguments non pertinents qui font obstacle au dialogue (**outils 17 et 18**) plutôt que de contribuer, par une justification, à élaborer son point de vue.

- Ne pas tenir compte des objections des autres interlocuteurs dans sa justification.

Un modèle de **justification** pour élaborer votre point de vue

LA VIOLENCE DANS LES JEUX VIDÉO

En classe, l'enseignante engage la discussion avec ses élèves sur la violence que l'on retrouve dans certains jeux vidéo. Elle pose la question suivante à ses élèves : Les élèves qui jouent régulièrement à des jeux vidéo qui proposent des scénarios de violence ont-ils plus de chances de développer des comportements violents ?

Adolpho – Moi, je ne joue pas aux jeux vidéo. Mes parents me l'interdisent parce qu'ils trouvent que cela nuit à mes études.

Marie Michelle – Moi, Adolpho, mes parents me laissent jouer à certains jeux vidéo, mais ils m'interdisent les jeux les plus violents parce qu'ils sont convaincus que cela a une mauvaise influence sur moi. Je ne suis pas d'accord avec eux. Je crois que les jeunes sont capables de faire la différence entre un jeu et la réalité. **Par exemple,** on peut s'envoler dans certains jeux vidéo, mais personne ne penserait à se jeter en bas d'un pont pour tenter de s'envoler après avoir joué à un tel jeu.

Marie Michelle entreprend de justifier sa position sur la violence dans les jeux vidéo.

Elle présente son argument principal et l'appuie sur un exemple.

Elle répond aux objections de ses parents.

Elle évoque un deuxième argument basé sur l'exemple de ses amis.

Je leur ai demandé s'il y avait des preuves que cela peut rendre les gens plus violents. Ils ne savaient pas quoi me répondre. **Pour ma part,** j'ai des amis qui jouent régulièrement à des jeux vidéo assez violents et je n'ai remarqué aucun changement dans leur comportement.

Je crois que les adultes devraient s'inquiéter davantage de l'intimidation entre jeunes sur Internet. J'ai lu, dans les journaux, qu'il s'agit d'un phénomène très répandu chez les jeunes du début du secondaire. **Selon moi,** dénigrer un autre élève ou son enseignant sur Internet est bien plus violent que de s'amuser avec des personnages fictifs dans des jeux vidéo.

Elle conclut sa justification en attirant l'attention sur d'autres pratiques répandues chez les jeunes plus susceptibles, selon elle, d'engendrer de la violence.

L'enseignante – Merci d'avoir justifié ton point de vue Marie Michelle. Je retiens ta suggestion de s'intéresser à l'intimidation et à la violence psychologique sur Internet. Mais poursuivons notre discussion sur les jeux vidéo. [...]

Les types de jugements

Tableau des moyens pour interroger un point de vue

TYPES DE JUGEMENTS

Outil 13 Le jugement de préférence

DÉFINITION

Proposition qui exprime de façon subjective des préférences.

EXEMPLE

Le hockey est mon sport préféré.

SUR QUOI REPOSE CE JUGEMENT

Nos goûts, nos préférences.

DES MOYENS POUR INTERROGER UN POINT DE VUE

S'interroger sur ses préférences et celles des autres, pour mieux comprendre dans un dialogue les raisons qui sont derrière ces préférences. Par exemple, se demander pourquoi le hockey est son sport préféré.

Outil 14 Le jugement de prescription

DÉFINITION

Proposition qui émet un conseil, une recommandation ou une obligation dans le but d'inciter à l'action.

EXEMPLE

Mettez fin à cette guerre inhumaine immédiatement !

SUR QUOI REPOSE CE JUGEMENT

Des jugements de fait ou de valeur.

DES MOYENS POUR INTERROGER UN POINT DE VUE

Demander à la personne qui prescrit sur quel fait ou quelle valeur repose sa prescription. Par exemple, on ne peut prescrire la fin d'une guerre que si l'on a le pouvoir d'obliger les belligérants à s'arrêter.

TYPES DE JUGEMENTS

Outil 15 Le jugement de réalité

DÉFINITION

Proposition qui constate un fait, un événement ou le témoignage d'une personne.

EXEMPLE

Selon l'Église catholique, il existe trois personnes en Dieu : le Père, le Fils et le Saint-Esprit.

SUR QUOI REPOSE CE JUGEMENT

Des faits, des témoignages.

DES MOYENS POUR INTERROGER UN POINT DE VUE

Demander à la personne qui formule un jugement de réalité sur quoi repose son jugement, car un jugement de réalité n'est pas nécessairement vrai. Par exemple, l'Église catholique affirme-t-elle vraiment qu'il existe trois personnes en Dieu ? Dans quel texte religieux ?

Outil 16 Le jugement de valeur

DÉFINITION

Proposition privilégiant une ou plusieurs valeurs par rapport à d'autres.

EXEMPLE

Je crois que la tolérance est indispensable à la vie en société.

SUR QUOI REPOSE CE JUGEMENT

Une réflexion, une appréciation.

DES MOYENS POUR INTERROGER UN POINT DE VUE

Interroger un élève sur un jugement de valeur en lui demandant d'expliquer la réflexion qui l'a conduit à formuler ce jugement. Par exemple, poser la question suivante : Quelle réflexion personnelle t'a amené à être tolérant ? Contrairement à un jugement de préférence, le jugement de valeur repose généralement sur une réflexion personnelle.

Outil 13
Le jugement de préférence

Qu'est-ce qu'un jugement de préférence ?

- Un jugement de préférence est un moyen pour interroger un point de vue.

- C'est une proposition qui exprime nos goûts, nos intérêts, nos préférences pour des choses ou des personnes.

- On l'utilise lorsqu'on veut exprimer nos préférences.

- Dans une argumentation, il peut conduire à une conclusion.

Démarche proposée

1. Recherchez les jugements de préférence utilisés pour élaborer votre point de vue et celui des autres participants au dialogue.

2. Formulez clairement vos jugements de préférence. Si nécessaire, demandez des clarifications sur les jugements de préférence des autres participants au dialogue.

3. Établissez les raisons qui sous-tendent vos jugements de préférence et ceux des autres participants au dialogue.

4. Repérez les conclusions que vous, et les autres participants au dialogue, tirez à partir de vos jugements de préférence.

5. Posez-vous les questions suivantes :
   - Existe-t-il des jugements de préférence dans mon point de vue ou dans celui des autres participants au dialogue ?
   - Quelles sont mes raisons, ou celles des autres participants, pour appuyer mes jugements de préférence et ceux des autres participants au dialogue ? Ces raisons sont-elles suffisantes pour justifier mes jugements de préférence ou ceux des autres participants au dialogue ?
   - Quelles sont les raisons implicites, non dites, qui sous-tendent mes jugements de préférence ou ceux des autres participants au dialogue ?
   - Les conclusions tirées à partir de mes jugements de préférence, ou de ceux des autres participants au dialogue, sont-elles justifiées ?

! ATTENTION

Cette démarche n'est pas linéaire. On peut revenir à l'une ou l'autre des étapes à n'importe quel moment.

▌ DES PIÈGES À ÉVITER

- Vouloir imposer ses jugements de préférence aux autres.
- Ne pas exprimer clairement ses jugements de préférence.
- Ne pas demander aux autres participants au dialogue de clarifier leurs jugements de préférence.
- Ne pas exprimer les raisons qui sous-tendent ses jugements de préférence.
- Ne pas examiner les raisons qui sous-tendent les jugements de préférence des autres participants au dialogue.
- Tirer des conclusions trop générales à partir d'un jugement de préférence.

Des jugements de préférence pour interroger un point de vue

MON SPORT PRÉFÉRÉ

Une discussion est menée en classe sur les valeurs que l'on préconise dans la pratique des sports d'équipe. Cela donne l'occasion à Samuel et Thomas de faire valoir leur préférence pour le hockey et le soccer.

Samuel – Moi, mon sport préféré est le hockey. Je crois que dans ce sport d'équipe, on ne peut pas gagner si, au lieu de collaborer ensemble, on joue de façon individualiste.

Samuel exprime un jugement de préférence.

Thomas – Je ne comprends pas, Samuel, comment tu peux aimer le hockey. C'est un sport tellement violent. Moi, j'aime le soccer parce que c'est le seul sport où tout le monde s'entraide, personne ne joue à la vedette et il n'y a jamais de bataille sur le terrain. Le soccer est un bien meilleur sport que le hockey.

Thomas exprime à son tour sa préférence. Il justifie cette préférence par une série d'arguments.

Annie Claude – Samuel, pourquoi en es-tu venu à préférer le hockey ?

Annie Claude interroge Samuel sur ses préférences.

Samuel – Parce que mon père et ma mère regardent les parties du Canadien à la télévision. Aussi, je trouve que c'est un sport rapide. Je ne suis pas d'accord avec Thomas lorsqu'il dit que c'est seulement au soccer que les joueurs s'entraident.

Samuel exprime son désaccord avec Thomas sur la conclusion qu'il tire de sa préférence pour le soccer.

Annie Claude – Thomas, comment peux-tu conclure que le soccer est un meilleur sport que le hockey ? Tu ne trouves pas que tu généralises un peu ?

Annie Claude soulève une erreur commune : tirer une conclusion générale à partir d'une préférence. Il s'agit d'une généralisation abusive.

Thomas – Peut-être que tu as raison. J'aime tellement le soccer que je ne vois plus les qualités des autres sports d'équipe.

Outil 14
Le jugement de prescription

Qu'est-ce qu'un jugement de prescription ?

- Un jugement de prescription est un moyen pour interroger un point de vue.

- C'est une proposition qui permet d'énoncer un ordre, une obligation, une recommandation. Le jugement de prescription affirme la nécessité d'accomplir un acte, de modifier une situation ou de résoudre un problème.

- On l'utilise lorsqu'on veut exprimer sa volonté qu'un acte soit accompli dans le but de modifier une situation ou de résoudre un problème.

Démarche proposée

1. Recherchez les jugements de prescription utilisés pour élaborer votre point de vue et celui des autres participants au dialogue.

2. Formulez clairement vos jugements de prescription. Si nécessaire, demandez des clarifications sur les jugements de prescription des autres participants au dialogue.

3. Établissez les raisons qui sous-tendent vos jugements de prescription et ceux des autres participants au dialogue.

4. Posez-vous les questions suivantes :
   - Existe-il des jugements de prescription dans mon point de vue ou dans celui des autres participants au dialogue ?
   - Quelles sont mes raisons, ou celles des autres participants, pour appuyer mes jugements de prescription et ceux des autres participants au dialogue ? Ces raisons sont-elles suffisantes pour justifier mes jugements de prescription ou ceux des autres participants au dialogue ?
   - Quelles sont les raisons implicites, non dites, qui sous-tendent mes jugements de prescription ou ceux des autres participants au dialogue ?

! ATTENTION

Cette démarche n'est pas linéaire. On peut revenir à l'une ou l'autre des étapes à n'importe quel moment.

▌ DES PIÈGES À ÉVITER

- Formuler des jugements de prescription sans une justification suffisante.
- Ne pas exprimer clairement ses jugements de prescription.
- Ne pas demander aux autres participants de clarifier leurs jugements de prescription.
- Ne pas exprimer les raisons qui sous-tendent ses jugements de prescription.
- Ne pas examiner les raisons qui sous-tendent les jugements de prescription des autres participants.

Des jugements de prescription pour interroger un point de vue

UN TRAVAIL D'ÉQUIPE

Dans le cadre du cours d'Éthique et culture religieuse, les étudiants, groupés en équipes de deux, doivent présenter à la classe des pionniers et des pionnières du patrimoine religieux québécois. Après avoir fait connaître les consignes de travail, l'enseignante demande aux élèves de discuter entre eux d'un plan pour réaliser cette présentation. Elle s'adresse à une des équipes.

L'enseignante – Votre équipe doit présenter en classe la vie et l'œuvre de Marguerite Bourgeoys, un personnage marquant du patrimoine religieux québécois. Vous devez tous les deux participer à la présentation. Vous ne devrez pas dépasser 15 minutes au total pour présenter votre sujet ; et ce temps inclut les questions des élèves à la fin de votre présentation.

> *L'enseignante formule plusieurs jugements prescriptifs afin de préciser les consignes à suivre pour la présentation orale en classe. Combien en avez-vous trouvé ?*

Naïma – Pourquoi avons-nous uniquement 15 minutes ? C'est très peu pour présenter notre sujet !

> *Naïma interroge le point de vue de l'enseignante en lui demandant les raisons qui sous-tendent son jugement prescriptif sur la durée de la présentation.*

L'enseignante – Toutes les équipes doivent faire une présentation et je ne veux pas donner plus de temps à une équipe qu'à une autre. Ce ne serait pas équitable.

> *L'enseignante donne la raison qui justifie son jugement prescriptif.*

Samuel – Naïma, tu dois passer la première dans notre présentation.

> *Samuel formule à son tour un jugement prescriptif.*

Naïma – Pourquoi ?

> *Comme il se doit, Naïma demande à Samuel de justifier son jugement de prescription.*

Samuel – Tu es plus habituée que moi à parler en public. Moi, je suis gêné et je préfère parler à la fin.

Naïma – Je suis d'accord, mais si je parle en premier, tu devras faire la recherche sur Marguerite Bourgeoys.

> *Pouvez-vous reconnaître le jugement de prescription formulé par Naïma ?*

Samuel – Pourquoi ?

Naïma – Parce que je déteste faire des recherches dans des livres et sur Internet, je préfère parler en avant.

> *Naïma justifie sa prescription à partir de quel type de jugement ? (jugement de préférence, outil 13)*

L'enseignante – Il n'est pas question que Samuel soit le seul à faire la recherche. Vous devez tous les deux préparer votre sujet.

> *L'enseignante rectifie la situation en formulant un nouveau jugement de prescription.*

Samuel – D'accord. Les consignes sont claires et nous serons prêts pour notre exposé.

Outil 15
Le jugement de réalité

Qu'est-ce qu'un jugement de réalité ?

- Un jugement de réalité est un moyen pour interroger un point de vue.

- C'est une proposition qui permet d'établir une constatation objective en affirmant s'appuyer explicitement ou implicitement sur des faits, des événements, des témoignages, etc.

- Un ou des jugements de réalité peuvent conduire à une conclusion.

Démarche proposée

1. Recherchez les jugements de réalité dans l'élaboration de votre point de vue et dans celui des autres participants au dialogue.

2. Établissez, le plus clairement possible, les faits sur lesquels reposent vos jugements de réalité ou ceux des autres participants au dialogue.

3. Retracez les conclusions que vous, et les autres participants au dialogue, tirez à partir de vos jugements de réalité.

4. Posez-vous les questions suivantes :
   - Existe-t-il des jugements de réalité dans mon point de vue ou dans celui des autres participants au dialogue ?
   - Les jugements de réalité énoncés dans mon point de vue ou dans celui des autres participants au dialogue sont-ils vrais ? Peut-on les vérifier ? Proviennent-ils de sources qui ont une valeur scientifique ? Les témoignages sont-ils crédibles ?
   - Les conclusions tirées à partir de mes jugements de réalité ou de ceux des autres participants au dialogue sont-elles justifiées ?

! ATTENTION

Cette démarche n'est pas linéaire. On peut revenir à l'une ou l'autre des étapes à n'importe quel moment.

■ DES PIÈGES À ÉVITER

- Ne pas vérifier les jugements de réalité qu'on formule dans une discussion.

- Ne pas interroger les autres participants sur les jugements de réalité qu'ils formulent dans une discussion.

- Tirer des conclusions à partir de jugements de réalité qui n'ont pas été vérifiés.

- Considérer qu'une chose est nécessairement vraie parce qu'une personne l'affirme sous la forme d'un jugement de réalité.

Des jugements de réalité pour interroger un point de vue

LES ALLERGIES ALIMENTAIRES

On organise une réunion d'information avec l'infirmière au sujet des allergies alimentaires à l'école. La rencontre donne lieu à une discussion sur l'attitude à avoir face aux élèves qui ont des allergies alimentaires.

Marie-Hélène – Dans mon école primaire, on interdisait aux élèves d'apporter des aliments allergènes comme les arachides dans leur lunch et dans leurs collations. Depuis que je suis au secondaire, il n'y a plus d'interdiction. On nous demande seulement de faire attention et de ne pas donner ou échanger de la nourriture avec les autres. Je trouve ça bien mieux, parce que cela respecte notre liberté. Moi je ne suis pas allergique et je ne vois pas pourquoi je ne pourrais pas manger ce que je veux, comme du beurre d'arachide, par exemple.

Mathieu – Je ne partage pas ton point de vue Marie-Hélène. Comme l'a dit l'infirmière, une personne allergique à l'arachide peut mourir si elle en mange. Si quelqu'un oublie de faire attention, comme tu dis, les conséquences seront très graves.

Philippe – Tu exagères Mathieu. Personne à l'école n'a jamais eu de problèmes de santé à cause des allergies. Je suis d'accord avec Marie-Hélène, l'école a raison de nous faire confiance. La preuve, il n'y a jamais eu de problème jusqu'ici.

Mathieu – Tu dis qu'il n'y a jamais eu de problème. Peux-tu nous dire qui t'a renseigné sur les allergies à l'école ?

Philippe – Tout le monde le sait Mathieu ! Moi, je n'ai jamais vu quelqu'un malade à l'école parce qu'il avait mangé des aliments allergènes.

Mathieu – Ton argument est bon Philippe, mais il faudrait vérifier les faits. L'infirmière pourrait peut-être nous dire ce qu'elle sait sur ce sujet.

L'infirmière – Merci Mathieu. Philippe, il est possible que tu n'aies jamais vu personne en crise à cause d'une allergie alimentaire, mais il y a eu tout de même cinq cas l'an dernier, dont un a nécessité une hospitalisation. Dans trois cas, les élèves avaient échangé de la nourriture à la collation ou au dîner.

Philippe – Vraiment ! C'est la première fois que j'en entends parler. Évidemment, cela change un peu mon point de vue. Il faudrait vraiment s'assurer que les élèves respectent la règle de ne pas échanger de nourriture. Sinon, il vaudrait peut-être mieux interdire les aliments les plus dangereux comme l'arachide.

Marie-Hélène appuie son point de vue sur des jugements de réalité portant sur ses écoles primaires et secondaires. Ces jugements sont-ils vrais ? Peut-on les vérifier ? Comment ?

Mathieu commence son intervention avec un jugement de réalité sur les dangers de l'arachide. Son jugement de fait est-il vrai ? Peut-on vérifier son affirmation ? Comment ?

Philippe formule un jugement de réalité. Pourriez-vous le reformuler dans vos propres mots ?

Mathieu questionne Philippe sur son jugement de réalité dans le but d'interroger son point de vue sur les arachides.

L'infirmière vient aider Philippe à établir correctement les faits en formulant des jugements de réalité plus précis qui s'appuient sur le recensement des cas d'allergie à l'école depuis un an.

Remarquez que la conclusion de Philippe est plus nuancée depuis que l'infirmière l'a aidé à établir plus clairement les faits dans cette discussion.

Outil 16
Le jugement de valeur

Qu'est-ce qu'un jugement de valeur?

- Un jugement de valeur est un moyen pour interroger un point de vue.

- C'est une proposition qui privilégie une ou plusieurs valeurs, par rapport à d'autres.

- On l'utilise lorsqu'on veut exprimer ses valeurs.

- Dans une argumentation, il peut conduire à une conclusion.

Démarche proposée

1. Cherchez les jugements de valeur utilisés pour élaborer votre point de vue et celui des autres participants au dialogue.

2. Formulez clairement vos jugements de valeur. Si nécessaire, demandez des clarifications sur les jugements de valeur des autres participants au dialogue.

3. Établissez les raisons qui sous-tendent vos jugements de valeur et ceux des autres participants au dialogue.

4. Repérez les conclusions que vous, et les autres participants au dialogue, tirez à partir de vos jugements de valeur.

5. Posez-vous les questions suivantes:

   - Existe-t-il des jugements de valeur dans mon point de vue ou dans celui des autres participants au dialogue?

   - Quelles sont les raisons que vous évoquez, ou que les autres participants évoquent, pour appuyer vos jugements de valeur et ceux des autres participants au dialogue? Ces raisons sont-elles suffisantes pour justifier vos jugements de valeur ou ceux des autres participants au dialogue?

   - Quelles sont les raisons implicites, non dites, qui sous-tendent mes jugements de valeur ou ceux des autres participants au dialogue?

   - Les conclusions tirées à partir de mes jugements de valeur, ou de ceux des autres participants au dialogue, sont-elles justifiées?

! ATTENTION

Cette démarche n'est pas linéaire. On peut revenir à l'une ou l'autre des étapes à n'importe quel moment.

▮ DES PIÈGES À ÉVITER

- ☐ Ne pas formuler clairement un jugement de valeur.

- ☐ Refuser de discuter de ses jugements de valeur et de ceux des autres participants.

- ☐ Ne pas expliquer les raisons qui sous-tendent ses jugements de valeur.

- ☐ Ne pas demander aux autres participants de clarifier le sens de leur jugement de valeur et les raisons qui sous-tendent ce jugement.

- ☐ Tirer des conclusions qui reflètent ses préférences plutôt que la conclusion d'un raisonnement logique.

Des jugements de valeur pour interroger un point de vue

POURQUOI NE MANGEONS-NOUS PAS LES MÊMES ALIMENTS ?

Au dîner, les élèves ont remarqué qu'ils mangent des aliments différents, au nom de certaines valeurs et convictions religieuses. On organise une rencontre avec madame David, la diététicienne de l'école pour en discuter.

Francesca – Moi, j'adore le spaghetti à la viande, mais je n'en mange plus depuis que ma mère m'a convaincue d'être végétarienne. Pour moi, faire mourir les animaux pour se nourrir est cruel. Je trouve que le respect des animaux est une valeur très importante qui passe avant mes goûts personnels.

Émilie – Je ne suis pas d'accord avec toi, Francesca. Le fait que tu sois végétarienne n'a rien à voir avec le respect des animaux. Dans la nature, les animaux se mangent entre eux. Pourquoi pas nous ? Il me semble que respecter la chaîne alimentaire, c'est aussi respecter la nature !

Saïd – Moi je mange certaines viandes, mais pas toutes. Ma religion m'interdit de manger du porc parce que c'est une nourriture impure. Ma mère me dit aussi que c'est meilleur pour la santé de ne pas en manger. En plus, je jeûne pendant un mois que l'on appelle ramadan. Pendant ce mois, je ne mange rien entre le lever du jour et le coucher du soleil.

Francesca – Pourquoi ?

Saïd – Parce que Dieu nous a demandé de jeûner et je dois lui obéir. Jeûner nous apprend la persévérance et nous permet de mieux comprendre la souffrance des pauvres.

Francesca – C'est étrange, ma mère m'a raconté que lorsqu'elle était jeune, elle se privait de certains aliments pendant 40 jours avant la fête de Pâques. Si je me souviens bien, elle appelle ça le Carême. Je crois que les catholiques jeûnent pour des raisons semblables à celles des musulmans.

Émilie – Chez moi, on mange de tout, même des frites et de la pizza. À ce sujet, je ne suis vraiment pas d'accord avec la décision de l'école de ne plus vendre de malbouffe à la cafétéria. Je trouve que l'école ne devrait pas se mêler de ce que l'on mange au nom de notre santé. Nous sommes libres après tout !

Francesca – Madame David, pourquoi l'école a-t-elle décidé d'interdire la malbouffe ?

Madame David – Vous voyez que la nourriture peut susciter beaucoup de discussions sur nos valeurs. Au sujet de la malbouffe [...].

Francesca affiche un jugement de valeur en affirmant que le respect des animaux passe avant ses goûts personnels.

Émilie questionne les raisons qui sous-tendent le jugement de valeur de Francesca. Elle propose, à son tour, son argument en faveur du respect de la nature.

Les jugements de valeur formulés par Saïd reposent sur ses convictions religieuses et ses traditions familiales.

Francesca questionne Saïd sur son point de vue afin qu'il justifie davantage la valeur qu'il accorde au jeûne.

Émilie marque sa préférence pour la valeur de la liberté sur la valeur de la santé.

En interpellant la diététicienne, Francesca souhaite que l'on revienne aux faits (jugement de réalité, outil 15) pour mieux appuyer nos jugements de valeur.

Tableau des entraves au dialogue fondées sur l'appel aux autres

ENTRAVES AU DIALOGUE	EXEMPLES	DÉFINITIONS	POURQUOI EST-CE UNE ENTRAVE ?	COMMENT RÉAGIR À UNE ENTRAVE ?
Attaque personnelle	Tu voudrais nous convaincre d'être pacifistes alors que tu passes tes journées à jouer à des jeux vidéo hyperviolents.	Elle vise à détruire la crédibilité d'une personne afin d'affaiblir son point de vue et de renforcer le nôtre.	Dans un dialogue, le respect des personnes est essentiel. En s'attaquant aux personnes, on s'éloigne du sujet discuté. On peut, par exemple, discuter d'une valeur comme le pacifisme sans porter de jugement sur les personnes qui participent au dialogue.	En proposant de revenir au sujet discuté en mettant de côté les attaques personnelles. Dans notre exemple, en rappelant que la discussion ne porte pas sur les jeux vidéo, mais bien sur une valeur, le pacifisme.
Appel à la popularité	Tu es vraiment la seule personne qui s'oppose au code vestimentaire de l'école. Tu devrais te rendre compte que tous les élèves de ta classe sont d'accord avec ce code.	Il a pour but de laisser croire qu'une chose est vraie ou fausse en prétendant, sans en avoir vérifié l'exactitude, qu'un grand nombre de personnes l'affirme.	Dans un dialogue, en s'appuyant sur un groupe majoritaire pour appuyer notre point de vue, on cherche à isoler la personne qui pense différemment. Pourtant, nous savons que des prises de position minoritaires peuvent être tout aussi justes. Par exemple, on ne peut conclure que le code vestimentaire de l'école est bon parce qu'une majorité d'étudiants l'appuie.	En rappelant que la valeur d'un point de vue ne dépend pas du nombre de personnes qui appuient ce point de vue. Certaines opinions très populaires peuvent quand même être fausses. Dans notre exemple, même si je suis seul à m'opposer au code vestimentaire de mon école, il vaut la peine d'écouter mes arguments.
Appel au clan	Comment peux-tu passer ton temps à écouter de la musique classique ennuyeuse alors que tous tes amis écoutent du rock ?	Il vise à appuyer un point de vue sur l'opinion d'un groupe auquel on accorde une valeur particulière, un groupe d'amis par exemple.	Dans un dialogue, en accordant plus de valeur à l'opinion des groupes qui nous sont chers, comme notre famille et nos amis, nous manipulons les sentiments des participants au dialogue. Pourtant, nos convictions ne devraient pas reposer sur l'opinion de notre groupe d'amis ou de nos parents.	En rappelant que chaque personne dans un groupe a un point de vue personnel valable même si le groupe a une opinion contraire. Dans notre exemple, en expliquant que les goûts musicaux sont personnels et que nous pouvons très bien apprécier notre groupe d'amis sans nécessairement aimer la même musique.

ENTRAVES AU DIALOGUE	EXEMPLES	DÉFINITIONS	POURQUOI EST-CE UNE ENTRAVE ?	COMMENT RÉAGIR À UNE ENTRAVE ?
Argument d'autorité	Tu es totalement dans l'erreur en pensant que dialoguer ne sert à rien. Le professeur a dit le contraire au dernier cours.	Il vise à s'appuyer sur l'autorité pour soutenir son point de vue ou critiquer celui des autres.	Dans un dialogue on coupe court à la discussion lorsqu'on cherche à imposer son point de vue en évoquant l'autorité. Dans cet exemple, peut-être l'enseignant a-t-il eu raison de soutenir l'importance du dialogue en classe, mais en se servant de son autorité pour soutenir ou critiquer un point de vue, on risque de mettre fin au dialogue plutôt que de l'encourager.	En rappelant que la valeur d'un point de vue ne tient pas au fait qu'une autorité l'appuie. Il faut plutôt faire appel à des arguments pertinents pour défendre son point de vue. Dans notre exemple, en demandant les raisons pour lesquelles il faudrait croire en la valeur du dialogue plutôt que de s'en référer à l'autorité de l'enseignant.
Complot	C'est à cause de votre groupe de « skate-board » qu'on nous a interdit de jouer au soccer dans la cour d'école. Depuis, vous en profitez pour occuper la cour à vous seuls.	Il consiste à laisser entendre que ceux ou celles qui profitent d'une situation au détriment d'autres personnes en sont la cause.	Dans un dialogue, on prend un ton accusateur nuisible au bon déroulement du dialogue lorsqu'on affirme l'existence d'un complot pour expliquer une situation que l'on veut dénoncer. Par exemple, on ne peut conclure que le groupe de « skate-board » profite de la cour au détriment de ceux qui jouent au soccer grâce à un complot.	En rappelant que la valeur d'un point de vue n'est pas renforcée lorsqu'on laisse croire injustement que l'on a été victime d'un complot. Dans notre exemple, on pourrait demander à l'équipe de soccer de s'informer des raisons qui ont amené les autorités de l'école à interdire le groupe de « skate-board » dans la cour.
Appel au stéréotype	S'il y a tant de vols et de violence dans ton quartier, c'est à cause des Noirs qui y sont de plus en plus nombreux.	Il vise à faire appel à une image négative, figée et réductrice d'un groupe de personnes pour soutenir ou critiquer un point de vue.	Dans un dialogue, on stigmatise et offense les participants en argumentant à partir de stéréotypes. Par exemple, on détourne la discussion sur les causes de la violence dans le quartier lorsqu'on réduit faussement les résidents noirs d'un quartier à ne représenter que des êtres violents et voleurs.	En rappelant que faire appel à des images négatives et souvent figées ne fait pas avancer la discussion, mais contribue au contraire à entretenir des stéréotypes. Dans notre exemple, en incitant ce participant au dialogue à s'informer auprès des autorités du quartier sur les causes véritables de la montée de la violence.
Caricature	Ce que tu dis n'a aucun sens. Laisser les étudiants plus libres à l'école, cela voudrait dire les laisser arriver aux cours à n'importe quelle heure, remettre leurs devoirs quand bon leur semble, etc.	Elle vise à ridiculiser la position d'un participant à un dialogue en déformant sa position de façon à la rendre simpliste et non crédible.	Dans un dialogue, on discrédite le point de vue d'un participant lorsqu'on en fait une description trop simpliste. Par exemple, souhaiter une plus grande liberté à l'école n'implique pas qu'il n'y ait plus aucune règle et que les élèves ne respectent plus rien. Une telle caricature associe faussement liberté et irresponsabilité.	En rappelant que ridiculiser un point de vue en le caricaturant n'apporte aucun argument valable dans la discussion. Dans notre exemple, on pourrait proposer de corriger une telle caricature par des propos plus nuancés sur la liberté que l'on devrait laisser aux élèves à l'école.

Outil 17
L'entrave au dialogue fondée sur l'appel aux autres

! ATTENTION

Cette démarche n'est pas linéaire. On peut revenir à l'une ou l'autre des étapes à n'importe quel moment.

DES PIÈGES À ÉVITER

- ☐ Utiliser l'autorité, l'opinion majoritaire, l'opinion de divers groupes comme la classe, les amis ou la famille, à mauvais escient, dans le but d'appuyer son point de vue ou de discréditer le point de vue de quelqu'un d'autre.

- ☐ Tirer des conclusions erronées à partir de faux arguments qui sont autant d'entraves au dialogue.

- ☐ Ne pas réagir lors d'une discussion où l'on dénigre son point de vue par différentes formes d'entrave au dialogue.

Qu'est-ce qu'une entrave au dialogue fondée sur l'appel aux autres ?

- Une entrave au dialogue est un jugement qui fait obstacle à l'élaboration d'un point de vue rigoureux.

- L'attaque personnelle, l'appel à la popularité, l'appel au clan, l'argument d'autorité, le complot, l'appel au stéréotype et la caricature sont des entraves au dialogue qui font appel aux autres d'une façon indue pour soutenir ou contredire un point de vue.

- L'utilisation de ces procédés manifeste souvent un manque d'éthique dans la pratique du dialogue. Le respect des autres lors d'un échange devrait nous amener à ne pas discréditer leurs propos en utilisant de telles entraves au dialogue.

Démarche proposée

1. Remarquez, dans vos propos et dans ceux des autres participants à une discussion, les entraves au dialogue qui font appel aux autres de manière incorrecte.

2. Reformulez votre propos en remplaçant ces entraves au dialogue par des arguments ou par un point de vue rigoureux et respectueux du point de vue des autres.

3. Questionnez les autres participants qui utilisent de telles entraves dans le but de les amener à formuler différemment leur point de vue de manière à ce qu'ils prennent conscience que ces procédés peuvent être néfastes au dialogue.

4. Repérez et critiquez les conclusions de raisonnements qui seraient issues d'arguments fondés sur de telles entraves au dialogue.

5. Pour vous aider dans cette démarche, posez-vous les questions suivantes sur vos propos ou sur les propos des autres participants au dialogue :

   - ☐ Est-ce que, dans mes propos, j'attaque quelqu'un dans le but de valoriser mon point de vue ou de dévaloriser le sien ?

   - ☐ Est-ce que je m'appuie sans raison sur l'opinion d'une majorité pour faire valoir mon point de vue ou critiquer celui d'un autre ?

   - ☐ Est-ce que mes arguments véhiculent des stéréotypes qui font appel à des images négatives et erronées de certaines personnes ou de certains groupes ?

   - ☐ Est-ce que je fais appel de façon exagérée à la valeur de certains groupes, comme ma famille et mes amis, pour soutenir mes arguments ?

   - ☐ Est-ce que je fais appel à l'autorité de façon injustifiée dans mon argumentation ?

   - ☐ Est-ce que j'invente l'existence de complots pour discréditer la position des autres ?

Des obstacles au dialogue

DEVRAIT-ON LAISSER LES ÉLÈVES PLUS LIBRES À L'ÉCOLE ?

Francesca fait obstacle au dialogue en faisant appel à un préjugé racial pour renforcer son argument en faveur de la liberté de choisir sa place en classe.

Les élèves discutent en classe de la liberté qui devrait être accordée aux jeunes à l'école.

Francesca – Je suis en faveur d'une plus grande liberté dans la classe. Par exemple, on devrait pouvoir choisir de s'asseoir avec qui l'on veut. Je ne veux pas être raciste, mais je ne veux pas qu'on m'oblige à m'asseoir avec des Noirs.

Marie Michelle – Je comprends que tu veux pouvoir t'asseoir où tu veux, mais ce n'est pas une raison pour appuyer ta demande sur un préjugé racial. Je ne crois pas que ce soit une bonne façon d'encourager les autres élèves à poursuivre la discussion. Tu devrais plutôt te fier au reste de la classe. Tu verrais que personne ne pense, comme toi, que l'on devrait choisir librement où s'asseoir.

Louis – Je pense comme Marie Michelle. Tu imagines, Francesca, de quoi la classe aurait l'air si on suivait ton idée : un vrai cirque où tout le monde changerait continuellement de place ! Le professeur serait constamment en train de faire de la discipline et n'aurait plus le temps d'enseigner.

Francesca – Louis, ce n'est pas en ridiculisant ma position que tu vas faire avancer la discussion. Nous sommes censés discuter de la liberté, mais personne jusqu'ici n'en a vraiment parlé. Peut-être pourrions-nous revenir à notre sujet ?

Louis – Tu as raison, laissons de côté les arguments qui attaquent les autres et discutons vraiment de la liberté à l'école [...].

Francesca et Louis veulent progresser dans cette discussion en mettant de côté les entraves au dialogue afin de favoriser une discussion plus fructueuse sur les limites de la liberté en classe.

Marie Michelle intervient pour faire prendre conscience à Francesca que ce préjugé est nuisible dans la poursuite de la discussion. Ici, Marie Michelle veut convaincre Francesca par un appel au clan (la classe). Son argument cherche sans raison à isoler Francesca dans sa prise de position.

Louis caricature sans raison la position de Francesca qui pourrait, à cause de cela, mal réagir dans la suite du dialogue.

Tableau des entraves au dialogue fondées sur des erreurs de raisonnement

ENTRAVES AU DIALOGUE	EXEMPLES	DÉFINITIONS	POURQUOI EST-CE UNE ENTRAVE ?	COMMENT RÉAGIR À UNE ENTRAVE ?
Généralisation abusive	Vous avez vu que Samuel et Vanessa sont des premiers de classe et ne pratiquent pas de sports. C'est bien connu, les premiers de classe passent leur temps à étudier et ne pratiquent aucun sport.	Elle consiste à tirer une conclusion générale à partir d'un petit nombre de cas non représentatifs.	Dans un dialogue, on induit les autres en erreur lorsqu'on conclut trop rapidement à partir de très peu de cas. De la même façon, on peut critiquer la position des autres en tirant des conclusions non justifiées de leur position. Par exemple, conclure que les premiers de classe n'aiment pas le sport à partir de deux exemples est une généralisation abusive qui induit les autres en erreur.	En rappelant que d'un cas particulier on ne peut tirer des conclusions générales. Dans notre exemple, il faudrait rappeler que Vanessa et Samuel sont loin d'être les seuls premiers de classe et qu'il vaudrait la peine de pousser notre enquête un peu plus loin avant de conclure que tous les premiers de classe ne pratiquent aucun sport.
Appel au préjugé	On ne devrait pas accepter de filles dans notre équipe de hockey parce qu'elles ne sont pas bonnes dans le sport.	Il consiste à s'appuyer sur une opinion préconçue favorable ou défavorable qui est souvent imposée par le milieu.	Dans un dialogue, on nuit à la discussion lorsque l'on utilise un préjugé que l'on refuse de soumettre à la discussion parce qu'il nous apparaît si évident qu'il ne mérite pas d'être discuté. Dans l'exemple cité, le préjugé des garçons sur les capacités sportives des filles constitue une entrave à ce dialogue sur la possibilité de créer des équipes de hockey mixtes.	En rappelant qu'il est toujours bon de réfléchir avant de répéter des idées toutes faites que l'on a entendues fréquemment dans notre milieu. Dans notre exemple, il serait bien de demander sur quoi repose l'idée que les filles ne sont pas bonnes dans le sport.
Double faute	Je ne laverai pas la vaisselle même si c'est à mon tour parce que mes deux frères ne l'ont pas lavée hier.	Elle consiste à justifier un comportement en affirmant que d'autres font la même chose ou pire encore.	Dans un dialogue, lorsqu'on évoque la faute des autres pour excuser notre propre comportement, on entrave le dialogue en se déresponsabilisant. Dans cet exemple, les parents auront plus de difficulté à poursuivre la discussion sur les tâches ménagères parce qu'un membre de la famille se défile devant ses responsabilités.	En rappelant que nos comportements ne peuvent être excusés parce que quelqu'un a agi comme nous. Dans notre exemple, il faudrait rappeler que la faute des deux frères n'excuse en rien ce troisième frère dont c'est maintenant le tour de laver la vaisselle.

ENTRAVES AU DIALOGUE	EXEMPLES	DÉFINITIONS	POURQUOI EST-CE UNE ENTRAVE ?	COMMENT RÉAGIR À UNE ENTRAVE ?
Faux dilemme	Je sais que tu ne veux pas aller faire de ski en fin de semaine, alors je te laisse le choix entre y aller samedi ou ce soir.	Il consiste à obliger une personne à faire un choix entre deux possibilités dont l'une est tellement indésirable qu'il ne reste plus à la personne qu'à choisir la seconde.	Dans un dialogue, un faux dilemme entrave le dialogue en détournant l'attention du sujet discuté par la présentation d'un faux choix qui ne favorise que la personne qui propose ce choix. Dans cet exemple, celui qui ne veut pas aller faire du ski la fin de semaine est piégé par ce faux dilemme et ne peut être conséquent avec son propre point de vue.	En rappelant que l'on ne doit pas présenter un choix de façon à piéger notre interlocuteur. Dans notre exemple, il faudrait insister pour que le choix des journées proposées pour aller faire du ski représente une véritable alternative et non un faux dilemme.
Fausse causalité	S'il fait si chaud cet après-midi, c'est évidemment à cause du réchauffement climatique produit par les gaz à effet de serre.	Elle consiste à établir un lien de cause à effet douteux entre deux phénomènes.	Dans un dialogue, une fausse causalité entre des phénomènes peut entraîner les participants dans l'erreur et donc nuire à la progression du dialogue. Dans cet exemple, si la température est plus froide le lendemain de la discussion, un participant pourrait conclure malencontreusement que le réchauffement de la planète causé par les gaz à effet de serre est maintenant une chose du passé.	En rappelant qu'un lien entre deux phénomènes n'est pas nécessairement un lien de cause à effet. Dans notre exemple, il faudrait demander que l'on se base sur des observations scientifiques plus complètes avant de conclure qu'il existe un lien de cause à effet entre l'augmentation de la température cet après-midi-là et l'augmentation des gaz à effet de serre.
Pente fatale	Si tu ne fais pas tes devoirs ce soir, tu vas échouer ton année scolaire, ne pas terminer tes études secondaires, ne jamais te trouver de travail et peut-être même finir ta vie comme le pire des criminels.	Elle consiste à exagérer les conséquences d'une action en affirmant qu'elle pourrait avoir des effets démesurément désastreux.	Dans un dialogue, exagérer les conséquences d'une action peut constituer une entrave à la discussion en déplaçant le sujet de celle-ci sur des enjeux lointains et peu probables. Dans cet exemple, il apparaît exagéré de conclure que le fait de ne pas faire ses devoirs un jour ait pour conséquence de faire de nous des criminels. À ce compte, ces derniers seraient certainement nombreux !	En rappelant que des conséquences d'une action doivent être tirées prudemment et avec nuances. Dans notre exemple, il faudrait rappeler que le simple fait de ne pas faire ses devoirs un soir pendant l'année n'entraîne pas nécessairement des conséquences aussi catastrophiques.
Fausse analogie	Tous les élèves du secondaire devraient payer leurs cours, comme les étudiants de l'université paient les leurs.	Elle consiste à tirer une conclusion à partir d'une analogie entre des choses qui ne sont pas suffisamment semblables pour être comparées.	Dans un dialogue, faire une fausse analogie nuit à l'échange en créant une fausse évidence basée sur une comparaison dont les éléments sont trop différents. Dans cet exemple, l'enseignement secondaire et universitaire s'adressent à des étudiants très différents : dans un cas, ces étudiants sont des adultes en partie autonomes financièrement, dans l'autre, il s'agit de jeunes encore dépendants de leur famille.	En rappelant que les comparaisons doivent être faites avec soin et que, comme le dicton le dit, on ne compare pas les pommes avec les oranges. Dans notre exemple, il faudrait rappeler que la situation des élèves du secondaire et des étudiants universitaires est à ce point différente qu'il devient difficile de tirer la conclusion que les élèves du secondaire devraient payer leurs cours comme les étudiants des universités.

Outil 18
L'entrave au dialogue fondée sur des erreurs de raisonnement

Qu'est-ce qu'une entrave au dialogue fondée sur des erreurs de raisonnement ?

- Une entrave au dialogue est un jugement qui fait obstacle à l'élaboration d'un point de vue rigoureux.

- La généralisation abusive, l'appel au préjugé, la double faute, le faux dilemme, la fausse causalité, la pente fatale et la fausse analogie sont des entraves au dialogue qui reposent sur des erreurs logiques dans le raisonnement lorsqu'il s'agit de soutenir ou de contredire un point de vue.

- L'utilisation de ces procédés manifeste souvent un manque de rigueur et parfois d'éthique dans la pratique du dialogue. Le respect des autres devrait nous amener à éviter de telles entraves dans un dialogue.

Démarche proposée

1. Remarquez, dans vos propos et ceux des autres, les entraves au dialogue qui constituent des erreurs de raisonnement.

2. Reformulez vos propos en remplaçant ces entraves au dialogue par des arguments valables.

3. Questionnez les autres participants qui utilisent de telles entraves dans le but de leur faire prendre conscience que ces procédés n'ont pas leur place dans un dialogue.

4. Repérez et critiquez les conclusions de raisonnements qui seraient issues d'arguments fondés sur de telles entraves au dialogue.

5. Pour vous aider dans cette démarche, posez-vous les questions suivantes sur vos propos ou sur les propos des autres participants au dialogue :

   □ Est-ce que je généralise trop à partir d'un ou de quelques cas particuliers ?

   □ Est-ce que je me questionne sur la valeur de certaines idées qui me viennent de mon milieu afin de m'assurer qu'il ne s'agit pas de préjugés ?

   □ Est-ce que je cherche à me justifier en mettant la faute sur les autres ?

□ Est-ce que les choix que je propose aux autres participants au dialogue sont de vraies alternatives pour eux ? Est-ce que l'on peut facilement voir quelles sont mes préférences lorsque je suggère des choix aux autres ?

□ Est-ce que la cause que j'ai déterminée est véritablement la cause du phénomène que je veux expliquer ?

□ Est-ce que ma comparaison porte sur des choses vraiment comparables ? La conclusion que je tire de ma comparaison découle-t-elle logiquement de celle-ci ?

□ Est-ce que j'exagère les conséquences des positions adoptées par d'autres participants au dialogue ? Est-ce que j'ai tendance à présenter ces conséquences comme étant plus épouvantables, plus graves qu'elles ne le sont en réalité ?

▌ DES PIÈGES À ÉVITER

Attention aux erreurs de raisonnement !

□ Ne pas généraliser trop vite.

□ Rendre un participant au dialogue responsable de certaines actions dans le but de diminuer ou de nier sa propre responsabilité.

□ Proposer de faux choix aux autres dans le but de favoriser ses propres préférences.

□ Ne pas s'assurer que la cause cernée est bien la cause du phénomène.

□ Ne pas faire attention aux comparaisons un peu forcées dont il est risqué de tirer des conclusions.

□ Associer trop rapidement à des conséquences catastrophiques des positions prises par d'autres participants au dialogue.

□ Critiquer la position des autres participants au dialogue à partir de faux raisonnements qui sont autant d'entraves au dialogue.

□ Affaiblir sa propre position par des erreurs de raisonnement qui rendent son point de vue moins convaincant.

▌! ATTENTION DE NE PAS CONFONDRE

Plusieurs formes de raisonnement sont bienvenues dans un dialogue et ne sont pas nécessairement des obstacles à la communication.

• Généraliser à partir de cas particuliers est une très bonne chose. Il faut simplement s'assurer que la généralisation s'appuie sur un nombre suffisant de cas.

• Établir des relations de cause à effet entre divers phénomènes fait progresser le dialogue à condition que l'on s'assure d'avoir indiqué la bonne cause.

• Établir les conséquences d'une action ou d'une décision fait progresser la discussion à condition que les conséquences que l'on tire demeurent réalistes et raisonnables.

• Une comparaison ou une analogie peuvent aider à mieux comprendre à condition que les éléments comparés soient véritablement comparables.

Des entraves au dialogue fondées sur des erreurs de raisonnement

Dans son intervention, Myriam fait deux fautes de raisonnement qui peuvent nuire à la poursuite du dialogue : elle généralise à partir d'un seul exemple et tire des conséquences exagérées et quelque peu catastrophiques au sujet des changements climatiques.

Après avoir fait progresser le dialogue en appuyant l'argument de Lukanu, Pablo développe un faux dilemme qui vise uniquement à faire valoir son point de vue dans la discussion.

Myriam ne tombe pas dans le faux dilemme que lui propose Pablo. Elle relance plutôt la discussion sur les différents moyens que l'on peut prendre pour combattre la pollution.

QUE PEUT-ON FAIRE POUR EMPÊCHER LA TERRE DE SE RÉCHAUFFER ?

Les élèves discutent en classe du réchauffement climatique et des moyens d'y remédier.

Pablo – Le réchauffement de la planète, c'est une invention des écologistes. La terre se réchauffe peut-être, mais ce n'est pas si grave que ça.

Myriam – Il a fait très chaud cette semaine. C'est encore une preuve que la Terre se réchauffe très rapidement. Si on ne fait rien pour arrêter cela maintenant, toutes les grandes villes comme New York vont être submergées par un tsunami l'an prochain et nous ne pourrons plus aller en vacances aux États-Unis !

Lukanu – J'ai aussi entendu parler du réchauffement de la planète, Myriam, mais pour bien comprendre, je crois qu'il vaut mieux se fier au jugement des scientifiques qu'à la température qu'il fait cette semaine ! Il faut vraiment faire quelque chose pour empêcher cela. Le problème, ce sont les Américains avec leurs grosses usines qui polluent la planète.

Pablo – Je suis d'accord avec toi Lukanu, on devrait s'informer sur ce que les scientifiques en disent pour faire avancer notre discussion. Mais quand tu accuses les grosses usines américaines, tu oublies que c'est grâce à ces usines que les États-Unis sont riches. Je crois que nous avons seulement le choix suivant : vivre dans une pauvreté extrême après avoir fermé toutes les usines qui polluent ou vivre dans un monde un peu plus chaud qu'avant. Que choisissez-vous ? Moi, je préfère prendre le risque d'avoir un peu plus chaud et ne pas finir dans la pauvreté.

Myriam – Je veux bien que l'on s'informe un peu plus sur le sujet. Mais le choix de Pablo n'en est pas vraiment un. C'est comme nous demander de choisir entre une maladie ou une autre. Il y a bien d'autres choix et on devrait regarder plus concrètement ce que l'on pourrait faire pour réduire la pollution et les gaz à effet de serre.

Pablo exprime un préjugé concernant les écologistes. Il affirme, sans le démontrer, que le réchauffement climatique est une invention des écologistes.

Lukanu rappelle à Myriam qu'il vaut mieux se fier à l'opinion des scientifiques qu'à la température de la semaine pour prédire ce qu'il adviendra à long terme du climat sur terre. Mais, elle fait elle-même une erreur de logique en rendant seules responsables des changements climatiques les grandes usines américaines. De plus, elle tend à mettre la responsabilité sur un autre peuple plutôt que de regarder la responsabilité de notre société dans ce réchauffement.

SECTION 3

Outil 19
Les attitudes favorables au dialogue

Qu'est-ce qu'une attitude favorable au dialogue ?

- Une attitude favorable au dialogue encourage l'échange entre les participants à un dialogue.

- Les attitudes favorables au dialogue sont les suivantes :
  - Respecter les règles de fonctionnement.
  - Exprimer correctement ses sentiments.
  - Écouter attentivement.
  - Porter attention à l'attitude que provoquent nos propos sur les autres.
  - Faire preuve d'ouverture et de respect.
  - Se soucier des autres en respectant leurs idées, leurs sentiments, etc.
  - Se soucier de faire avancer le dialogue en proposant des synthèses des idées émises ou encore en rappelant le sujet abordé si les participants s'en éloignent.
  - Nuancer ses propos et être à l'écoute des nuances exprimées par les autres.
  - Faire preuve d'ouverture aux idées des autres.
  - Se questionner plutôt que de conclure trop rapidement.
  - Réfléchir avant d'avancer ses idées.
  - Vérifier auprès des autres participants si on a bien compris leurs idées.

Démarche proposée

1. Préparez votre participation à un dialogue en structurant vos idées et vos arguments.

2. Considérez le dialogue comme un moyen d'exprimer votre point de vue, mais aussi comme une occasion de le faire évoluer.

3. Prenez conscience de votre attitude au moment du dialogue en vous posant les questions suivantes :
   - Est-ce que mon point de vue est suffisamment nuancé ?
   - Est-ce que mon point de vue tient compte de ce que les autres ont apporté ?
   - Est-ce que je fais preuve d'agressivité ou de bienveillance envers le point de vue des autres ?
   - Est-ce que je pourrais reformuler le point de vue de celui ou celle qui vient de prendre la parole ?
   - Lorsque quelqu'un parle, est-ce que je pense à ma prochaine intervention ou est-ce que j'écoute son intervention ?
   - Est-ce que je pourrais faire un résumé des échanges d'un dialogue si l'on me le demandait ?

! ATTENTION

Cette démarche n'est pas linéaire. On peut revenir à l'une ou l'autre des étapes à n'importe quel moment.

DES PIÈGES À ÉVITER

- Ne pas respecter les règles de fonctionnement établies par les participants à un dialogue.
- Ne pas réfléchir à son attitude et à ses conséquences sur les autres.
- Ne pas écouter les autres.
- Ne pas manifester d'empathie envers les idées et les sentiments des autres.
- Ne pas se sentir responsable du succès d'un dialogue.

Des moyens pour interroger un point de vue

Des attitudes favorables au dialogue

POURQUOI FAUT-IL DIALOGUER ?

En classe, on s'interroge sur l'importance du dialogue et sur les attitudes à adopter pour favoriser la meilleure communication possible entre les participants.

Christina – Moi je trouve que le plus important dans un dialogue c'est de respecter les tours de parole. Il arrive souvent que des élèves parlent en même temps sans avoir levé la main. Il faut se donner des règles de fonctionnement et les suivre sinon, ce sont toujours les mêmes qui parlent.

Alex – Tu as raison Christina, mais il faut aussi s'écouter. Connais-tu l'expression « un dialogue de sourds » ? Moi il m'arrive souvent de penser seulement à ma prochaine intervention sans me préoccuper de ce que les autres disent. Quand je fais cela, je n'aide pas la cause du dialogue. C'est un peu comme si tout le monde suivait des chemins parallèles sans jamais se rencontrer.

Miguel – Alex, je déteste discuter avec toi, tu n'écoutes personne et tu n'en fais qu'à ta tête. Personnellement, je crois que pour bien dialoguer il faut se donner des règles comme le fait de parler chacun à notre tour.

Annie – Miguel, tu as peut-être des reproches à faire à Alex, mais tu devrais lui parler plus respectueusement d'autant plus que je crois que Christina avait déjà proposé de parler chacun à notre tour. Étais-tu attentif ?

Miguel – Tu as raison Annie, je me suis emporté sans raison. J'aurais pu dire ce que j'avais à reprocher à Alex plus gentiment. Mais, résumons-nous : pour bien dialoguer, on doit se donner des règles de fonctionnement, écouter attentivement les autres et faire preuve de respect entre nous. Que pensez-vous de ma synthèse ? Avez-vous d'autres points à apporter sur notre sujet ?

Christina insiste sur l'importance de se donner des règles dans un dialogue.

Le ton agressif de Miguel nuit au dialogue. De plus, ce dernier montre par son intervention qu'il n'a pas écouté l'intervention de Christina.

Miguel se reprend et montre qu'il est capable d'accepter la critique. De plus, il fait avancer le dialogue en proposant une synthèse des idées développées jusque-là.

Alex a le sens de l'autocritique. Il a le mérite de reconnaître ses propres torts. Il insiste avec raison sur l'importance d'écouter les autres.

Annie critique Miguel afin que ses interventions favorisent davantage le dialogue.

Abraham : figure biblique et coranique, ancêtre commun aux trois grandes religions monothéistes : le judaïsme, le christianisme et l'islam.

Absolu : parfait, ce qui existe indépendamment de toute condition ou de tout rapport avec autre chose.

Abstinence : fait de se priver de certains aliments, de certaines activités pour des motifs religieux ou médicaux.

Accommodement : arrangement, accord à l'amiable.

Adorer : rendre un culte à une divinité.

Amulette : petit objet qu'on porte sur soi et auquel on attribue un certain pouvoir.

Antiquité : période historique qui suit la Préhistoire et qui s'achève vers 476 de l'ère chrétienne.

Apôtre : chacun des douze disciples de Jésus.

Arabesque : motif ornemental formé de lettres, de lignes et de feuilles entrelacées.

Armoiries : ensemble des signes, devises et décorations qui servent d'emblème à un État, une ville, une association, une famille.

Art profane : toute forme d'art qui n'est pas d'abord religieux.

Art sacré : toute forme d'art fondé sur un sentiment religieux.

Ascèse : ensemble d'exercices de pénitence et de privation qu'une personne s'impose pour atteindre la perfection dans le domaine religieux ou spirituel.

Athéisme : attitude d'une personne qui nie l'existence de toute divinité et qui ne pratique aucune religion.

Attribut : caractéristique ou pouvoir propre à un dieu.

Authentique : d'une sincérité totale.

Autonomie : possibilité de décider sans se référer à une autorité, de déterminer de façon indépendante les règles auxquelles on se soumet.

Baptême : rite religieux par lequel un individu devient un chrétien.

Bas-relief : sculpture intégrée à une surface et qui déborde cette surface.

Besoin : exigence de la nature ou de la vie sociale qui porte les êtres vivants à certains actes qui leur sont ou leur paraissent nécessaires.

Blason : ensemble des pièces qui constituent les armoiries d'une nation, d'un pays, d'une ville, d'une famille.

Blasphémer : porter outrage au divin, au sacré, à la religion. Un blasphème peut aussi être une insulte à l'égard d'une personne respectable.

Calligraphie : forme d'écriture artistique.

Canaan : terre promise par Dieu aux Hébreux, correspondant plus ou moins aux États d'Israël, du Liban, de la Syrie, de la Transjordanie et de la Palestine d'aujourd'hui.

Censure : contrôle exercé par un gouvernement, une autorité, sur la presse.

Chaussée : barrage ou digue de terre retenant l'eau.

Christ : titre donné à Jésus qui signifie « messie » en hébreu.

Clergé : ensemble des membres d'une Église appartenant à des ordres religieux (évêques, prêtres, pasteurs, popes, moines, etc.)

Clocher : élément architectural d'une église, plus ou moins élevé, où sont placées les cloches.

Cohérence : connexion, rapport logique d'idées qui s'accordent entre elles ; absence de contradiction.

Commémoration : célébration d'un événement.

Commémorer : rappeler le souvenir d'une personne, d'un événement.

Compromis : accord dans lequel on fait des concessions mutuelles.

Conflit de valeurs : situation dans laquelle on doit choisir entre deux valeurs.

Conformisme : fait de se comporter en accord étroit avec les idées, les normes ou les usages établis.

Consacrer : rendre sacré, dédier à une divinité.

Consensus : accord entre des personnes.

Continuité : qualité de ce qui est continu, de ce qui se continue dans le temps ou dans l'espace.

Convertir : amener quelqu'un à adopter de nouvelles croyances religieuses.

Cosmos : l'Univers considéré comme un tout.

Dharma : loi de l'Univers qui régit l'ordre des êtres et des choses.

Divination : interprétation, basée sur une croyance religieuse ou une démarche profane, de signes manifestés par les forces surnaturelles.

Dogme : point de doctrine établi ou considéré comme une vérité fondamentale.

Dualité : caractère ou état de ce qui est double en soi, de ce qui est composé de deux parties.

Édicter : prescrire sous forme de loi, de règlement.

Émancipation : action de se libérer.

Enjeu éthique : valeurs ou normes qui sont en jeu.

Épique : qui raconte des actions héroïques.

Euthanasie : mort provoquée dans le but d'abréger les souffrances d'un malade incurable.

Éveil : compréhension profonde, rendue possible par un niveau élevé de sagesse.

Évêque : dans le catholicisme romain, un évêque est un dignitaire nommé par le pape et responsable d'un diocèse. Il y a aussi des évêques chez les anglicans, chez les luthériens et chez les orthodoxes.

Fécondité : capacité pour un organisme vivant de se reproduire.

Fondateur : relatif aux fondements, aux bases d'une tradition religieuse. Les textes sacrés constituent l'un des fondements des traditions religieuses et comprennent des récits, des rites, des règles à suivre, des révélations divines, des prières et autres.

Gargouille : élément architectural en saillie, par lequel s'écoulent, loin des murs, les eaux de pluie recueillies dans les gouttières.

Gourou : guide spirituel.

Hébraïque : qui appartient à l'hébreu, langue parlée et écrite des Juifs.

Hérésie : doctrine ou opinion contraire à une religion établie.

Iconographie : ensemble des représentations d'un sujet donné (tiré du mot « icône » qui signifie image).

Identité : ensemble des aspects d'une personne, d'un groupe, qui fait son individualité, sa particularité.

Imagerie populaire : ensemble des représentations, le plus souvent simplifiées et symboliques, qu'on trouve chez un peuple ou dans une culture donnée.

Intégrité : état d'une chose qui est demeurée intacte, qui n'a pas subi d'altération ; droiture, honnêteté d'une personne.

Interdépendance : dépendance réciproque.

Judéo-chrétien : qui appartient à la fois aux valeurs spirituelles du judaïsme et du christianisme. Les Églises catholiques, protestantes et orthodoxes sont des Églises chrétiennes.

La Mecque : ville d'Arabie Saoudite, capitale religieuse de l'islam.

Liberté de conscience : pouvoir d'agir en conformité avec ce que nous dicte notre conscience.

Liturgie : ensemble des règles qui déterminent le déroulement des rites chrétiens.

Mauvais œil : regard auquel on attribue le pouvoir de porter malheur.

Maxime : formule qui prescrit une règle morale.

Méditation : pratique spirituelle qui consiste à concentrer sa pensée dans le détachement des préoccupations matérielles.

Mégalithe : monument de pierre brute de grandes dimensions.

Messe : cérémonie rituelle du culte catholique, célébrée par le prêtre qui offre à Dieu du pain et du vin devenus, par la consécration, le corps et le sang du Christ.

Mitsva (au pluriel : mitsvot) : mot hébreu signifiant « commandement » ou « prescription ». Le mot entre dans la construction du nom de rites prescrits dans le judaïsme : par exemple, bar-mitsva et bat-mitsva.

Mœurs : coutumes et habitudes de vie communes à une société, un peuple, une époque.

Moïse : prophète juif qui a aidé les Hébreux à fuir l'Égypte et qui a reçu de Dieu, selon la tradition, les Dix commandements.

Monothéiste : qui croit en un seul dieu.

Mythique : se dit d'un être ou d'une créature qui incarne sous une forme symbolique des forces de la nature ou des aspects de la condition humaine ; son histoire est transmise par la tradition.

Mythologie : ensemble des mythes et des légendes propres à un peuple, à une civilisation ou à une religion.

Norme : règle, loi, exigence morale qui sert de critère pour délimiter un comportement.

Omniprésent : présent partout.

Orthodoxe : se dit des Églises chrétiennes d'Orient qui n'admettent pas l'autorité du pape de Rome. Les Églises catholiques et orthodoxes se sont séparées en 1054.

Panthéon : dans une religion polythéiste, ensemble des divinités.

Patrimoine : héritage du passé dont nous profitons aujourd'hui et que nous transmettons aux générations à venir.

Pénitence : profond regret, remords d'avoir offensé Dieu, accompagné de l'intention de réparer ses fautes et de ne plus recommencer.

Polythéiste : qui croit en plusieurs dieux.

Précepte : énoncé qui exprime un enseignement, une règle ou une façon de faire.

Prépondérant : qui domine par le poids, l'autorité, le prestige.

Principe : conviction morale ; norme qui définit ce qu'il est nécessaire de faire ou de ne pas faire pour atteindre ce qui est reconnu comme bien ; règles d'action basées sur un jugement de valeur qui guident la conduite.

Procession : marche religieuse accompagnée de chants et de prières.

Prophète : personne en communication avec Dieu et qui parle en son nom.

Question éthique : question qui porte sur un sujet concernant des valeurs et des normes.

Raison : faculté propre à l'être humain par laquelle il peut penser, connaître et juger.

Ramadan : le 9e mois du calendrier musulman durant lequel les musulmans jeûnent tous les jours entre le lever du jour et le coucher du soleil. C'est un mois de prières et d'aumônes faites aux pauvres.

Recensement : opération consistant à compter les individus d'un pays, d'un village, etc.

Réflexe : réaction non réfléchie et immédiate.

Règle : norme, imposée ou adoptée, qui sert de ligne directrice à la conduite.

Relationnel : qui concerne les relations humaines.

Repentance : regret sincère du mal qu'on a fait.

Repère : élément de l'environnement social et culturel auxquel on se réfère pour alimenter et éclairer une réflexion éthique.

Réprouver : rejeter.

Résurrection : retour de la mort à la vie.

Réussite sociale : succès d'une personne dans ses relations avec les autres.

Révélation : phénomène par lequel des vérités cachées sont révélées aux êtres humains d'une manière surnaturelle.

Rituel : ensemble de règles, de rites.

Sacré : qui a un caractère religieux ou concerne le culte divin.

Sacrement : rite religieux chrétien.

Scepticisme : état d'esprit qui amène une personne à douter de quelque chose.

Scorbut : maladie, souvent mortelle, provoquée par un manque de vitamine C.

Sépulcre : tombeau.

Sépulture : lieu où est déposé le corps d'un défunt.

Singulière : distincte, unique.

Sudation : transpiration.

Symbole : ce qui représente autre chose et évoque, de façon imagée, une idée ou un concept.

Symbolique religieuse : système de symboles relatifs à une tradition religieuse.

Tacite : qui est sous-entendu, non exprimé.

Temporel : du domaine des choses matérielles, par opposition au domaine spirituel.

Toponymie : étude des noms de lieux.

Trinitaire : dans la doctrine chrétienne, relatif à la Sainte Trinité qui est l'union de trois personnes distinctes qui forment un seul Dieu.

Valeur : caractère attribué à des choses, à des attitudes ou à des comportements qui sont plus ou moins estimés ou désirés par des personnes ou des groupes de personnes qui s'y réfèrent pour fonder leur jugement, pour diriger leur conduite.

Vénérer : manifester un grand respect religieux pour les dieux, les choses sacrées.

Vision du monde : regard que chacun porte sur soi et sur son entourage, qui oriente ses attitudes et ses actions.

Sources des photos